W9-BVS-072

Grandes Mexicanos Ilustres

# Jorge Negrete

Luis Carlos Buraya



DASTIN, S.L.

© DASTIN, S.L.
Polígono Industrial Európolis, calle M, 9
28230 Las Rozas - Madrid (España)
Tel: + (34) 916 375 254
Fax: + (34) 916 361 256
e-mail: info@dastin.es
www.dastin.es

Edición Especial para:

**EDICIONES Y DISTRIBUCIONES**
**PROMO LIBRO, S.A. DE C.V.**

I.S.B.N.: 84-492-0342-2
Depósito legal: M-15.926-2003
Coordinación de la colección: Raquel Gómez



**Impreso en España - Printed in Spain**

*A Felicidad Corcuera, la seguidora número uno de Jorge Negrete en España, y a su hija Ana Huidobro.*

*Al Ciber Club Mundial 2000, posiblemente la mejor WEB sobre un cantante de habla española que hoy existe en la red.*

*A todos los seguidores de Jorge Negrete que nos aportaron sus datos, anécdotas y recuerdos.*

*Y a mi madre, que se pasó la vida insistiendo en que escuchara a Jorge Negrete.*

# Introducción

Los charros nacieron con la colonización de México. En realidad, fue el ganado que los colonizadores llevaron al nuevo continente lo que desde entonces sería una nueva forma de vida. Todo cambió en América, y todo cambió en aquel territorio que más tarde sería México. Y nació una nueva raza de hombres que hubo de adaptar sus costumbres, su forma de vida y su cultura a los nuevos tiempos. Y con los nuevos tiempos nacieron los charros. Y entre ellos, muchos años más tarde, uno muy especial: El Gran Charro. El hombre que supo plasmar en su propia personalidad todas las características de toda una raza. Por eso este libro es una humilde y pequeña biografía del más grande de esos charros: Jorge Negrete.

En las páginas de esta obra el lector encontrará la biografía del que sin duda ha sido el más grande cantante mexicano de todos los tiempos. Un hombre que no sólo fue un cantante, sino que llegó a ser un icono de toda una raza, de toda una cultura y de todo un país. Un hombre que triunfó en la música, pero que también triunfó en el cine, y, sobre todo, un hombre que triunfó en la vida. Jorge Negrete, El Gran Charro, fue un multimillonario, un hombre agraciado y famoso a quien se disputaban las mujeres y apreciaban los hombres. Pero además fue un luchador, un hombre que luchó por los derechos de los demás, que no dio nunca su brazo a torcer, que mantuvo su dignidad a una altura difícil de sostener en un siglo como el que le tocó vivir. Fue un asombroso cantante, un excelente actor, una excelente persona y, además, un duro sindicalista, un romántico, un quijote y, sobre todo, un hombre íntegro. Jorge Negrete un «Gran Charro», este libro que el lector tiene en sus manos, es simplemente una crónica de quien fue el más grande cantante de México y de cómo fue ese hombre, sin duda un tipo muy especial.

# Primera parte
# Su biografía

## Capítulo Primero

### — Nace un «generalito» —

Cuando el 30 de noviembre de 1911, exactamente a las dos de la madrugada, el coronel David Negrete Fernández y su esposa, Emilia Moreno Anaya, recibieron en el mundo a su hijo Jorge Alberto, las cosas no estaban nada fáciles. Andaba la familia viviendo en la ciudad de Guanajuato, en una casa de la plaza del Ropero, uno más de los destinos que al coronel se le asignaron en tiempos tan complicados. El coronel y su familia tenían que cambiar de residencia con más frecuencia de la que hubieran deseado, obligados por las circunstancias, pero en un ritmo de vida que, por aquel entonces, era perfectamente comprensible para cualquiera, ya que México estaba en efervescencia, en el momento álgido del hervidero revolucionario. Había lucha y problemas por todas partes, el país vibraba y los militares apenas daban abasto.

Vino Jorge Alberto al mundo en el seno de una familia cargada de tradición militar. Según quienes investigaron, por encargo de su abuelo paterno, el árbol genealógico de los Negrete, la familia tenía una larga y muy honrosa historia; incluso su nombre venía «honrado». Según esos investigadores, la raíz genealógica familiar se encontraba en una tribu de moros blancos andaluces que lucharon junto al emperador Carlos V contra Francisco I. Aquella tribu dejó tales muestras de su valor que Carlos V les puso un sobrenombre: «Los Negretes».

Por parte materna, también los antecedentes eran brillantes: dos generales ilustres, Pedro María Anaya y Pedro Moreno, eran antepasados de la familia. En ambas ramas, además de militares ilustres, hubo políticos famosos, periodistas importantes, artistas de renombre... Así pues, la familia formada por don David y doña Emilia era importante y muy respetada en México. Y a ella fueron llegando a la vida David, Jorge Alberto, Consuelo, Emilia y María Teresa. Los dos primeros y la tercera, en Guanajuato; la cuarta en San Luis Potosí y la «benjamina» en la capital mexicana. Un último hermano, Rubén, murió siendo un bebé, tan sólo año y medio después de nacer, en 1923.

Cuando a Jorge le llegó la edad de ingresar en un colegio, su padre había sido trasladado a México, y ahí fue donde el niño entró por primera vez en un aula, junto con su hermano mayor, David. Pero poco tiempo les duró su estancia en aquel primer colegio, ya que unos meses después la familia tuvo que trasladarse a la ciudad de León, a más de 500 kilómetros del Distrito Federal, yendo a parar a otro centro, que afortunadamente sí iba a darles cierta estabilidad. Era un colegio dirigido por un sacerdote a quien todo el mundo quería y a quien todos llamaban «el padre Nacho». David y Jorge pasaron allí una época relativamente estable, aunque ambos aún eran demasiado niños como para «echar raíces» demasiado profundas.

David era mucho más «manejable» que Jorge; el padre Nacho tenía que recurrir con frecuencia a los «avisos» a los padres del pequeño para que ayudaran a meterlo en vereda, pero no era fácil. Incluso su hermano David, mayor que él, se dejaba arrastrar por la rebeldía y la «machura» del pequeño Jorge, que no aceptaba nunca de buen grado un castigo ni dejaba de discutir cualquier imposición que pudiera parecerle, a su tierna edad, una flagrante injusticia.

Los problema familiares se le acumulaban al joven Jorge Alberto, que a sus seis años no tomaba aún en consideración el hecho de que provenía de una dinastía militar, en la que el respeto y la disciplina eran cosa de uso diario. Él era aún demasiado joven como para entrar por ese aro. Con ello consiguió que su padre, cansado de discutir teorías de adulto con un niño de seis años, decidiera dejarlo interno en el colegio, el mismo en el que ya estaba, el colegio del padre Nacho. Al menos se evitaría tener en casa por las noches a aquella pesadilla de baja estatura que discutía casi todo, ignorando de la manera más olímpica cualquier argumento basado en la disciplina o una orden emitida bajo amenaza de posteriores consecuencias. De esta manera, Jorge «se quedó a vivir» en el colegio con la paterna intención de que aprendiera a aceptar las más elementales normas de la disciplina. No obstante, don David, que apreciaba profundamente a su hijo y sabía que su rebeldía y sentido de la independencia era cosa heredada de la familia, pidió al padre Nacho que no privara al niño de algunos caprichos que no pudieran ser considerados como perjudiciales. Al militar le dolía dejar allí al pequeño, pero lo hizo.

Y le dolió igualmente, a su regreso, tener que pagar una serie de facturas que el colegio le presentó, ya que el niño había invitado a sus amigos a un buen montón de fiestas y comilonas, todas a cargar en la cuenta paterna, y que al director del colegio le parecieron una buena idea del niño, perfectamente aplicable a la recomendación que le había hecho con tanto interés su padre: «Déle gusto en todo, en todo aquello que sea bueno y no le perjudique; el pobre se queda solo, y no quiero que sufra más de lo justo. Quizá se quede muy triste... Que tenga amigos, que no esté nunca solo.» El buen cura supo hacer caso de la recomendación paterna, y el niño, de paso, iba a demostrar cómo sería su carácter en el futuro: generoso con los amigos, espléndido con todo el mundo y, sobre todo y por encima de todo..., libre.

Pero una cosa se le daba especialmente bien al pequeño Jorge: los idiomas. Durante sus estudios primarios, a partir del ingreso en el Colegio Alemán, Jorge aprendió a hablar con soltura alemán e inglés, cosa que le sería especialmente útil años después, cuando consiguió un empleo de traductor en una editorial norteamericana, donde traducía canciones mexicanas para ganarse unos dólares mientras hacía sus pinitos en Nueva York.

El siguiente destino en la vida del pequeño Jorge fue la capital. De nuevo toda la familia ha de trasladarse y buscar nuevas ubicaciones para cada cual. Jorge y su hermano mayor son inscritos en el

Colegio San José de Tacubaya, y una nueva etapa de su vida comienza en ese momento. Justo entonces, nace su hermana María Teresa, y la salud de su madre se resiente de forma muy seria, hasta el punto de que su vida corre peligro.

Mientras su madre pasaba una época extraordinariamente difícil, ocurrió que quien más y con mayor cuidado se ocupó de su nueva hermanita fue precisamente Jorge, ya que, increíblemente, la familia parecía haberse olvidado de la pequeña y dedicaban todos sus cuidados a la madre. Pero Jorge, muy pequeño pero con las ideas muy claras, decidió convertirse en el «protector» de su hermanita sin pedir ni dar a nadie ningún tipo de explicación. Y ese cariño que el pequeño Jorge tuvo por su hermana desde que nació sería recíproco entre ambos, a lo largo de sus vidas. Desde entonces, y hasta su muerte, Jorge fue como un padre para su hermana, y la adoración que ésta le profesó durante toda su vida fue enternecedora.

# Capítulo II

## — Al «generalito» le gusta la música —

En pocas familias, y pocas veces, había tenido nadie tan evidente que uno de sus miembros, un pequeño de apenas un metro, tenía un carácter importante. En la familia Negrete, eso lo tenía claro todo el mundo. El diminuto Jorge, de indomable personalidad, era tan travieso como a la vez responsable; admitía una regañina si era justa, pero se rebelaba instantáneamente contra quien fuera si lo que se cuestionaba no le parecía ajustado a las normas de la vida que le habían enseñado. Pero además tenía un excelente carácter. Era un chico abierto, simpático, jovial y con ganas de saborear cualquier alegría que se le pusiera cerca. Desde que cumplió los tres años, cantaba casi siempre, allá donde se le presentara la oportunidad: en el colegio, en las fiestas, en cualquier reunión familiar... Le gustaba la música y, dentro de ella, las canciones más «contundentes», los corridos, las rancheras, la música alegre en la que se pudiera «gritar cantando». Y fue su abuela, doña Jovita, quien se dio cuenta de que el travieso Jorge tenía una «vena artística» que quizá pudiera utilizarse para que el joven cachorro de león fuera un poco menos «temible» y llegara a ser un poco más apacible. Y doña Jovita se aplicó a enseñar a Jorge las bondades de la música.

Pasaron unos años, y Jorge fue acrecentando su afición, cada día mayor, por la música y, sobre todo, por saber dominarla con su voz. No tenía otra maestra que su abuela ni otra directriz que su propia sensibilidad, pero la música iba entrando en su sangre, iba convirtiéndose en una parte de sí mismo.

El Colegio Alemán fue su siguiente destino. Allí llegaron Jorge y su hermano David para estudiar desde quinto de primaria hasta primero de preparatoria, y allí le enseñaron a hablar alemán, la primera de las varias lenguas que, en pocos años, llegaría a dominar casi a la perfección, ya que ése era, como antes comentamos, otro de los dones con que la fortuna le había regalado: su facilidad para aprender cualquier idioma que se propusiera. Cuando ya era una estrella, Jorge era capaz de hablar perfectamente en alemán, inglés, francés e italiano, sin necesidad jamás de que un intérprete le ayudara en una rueda de prensa o en una entrevista profesional. Entre tanto, su madre continuaba con una salud extremadamente delicada, recibiendo los solícitos cuidados de la familia, y en especial de Jorge, quien cada día era un espíritu más libre. Tanto que empezó a descuidar sus estudios, faltaba cada vez con más frecuencia al colegio para irse a correr pequeñas aventuras con algún amigo igualmente «escapista», y corría el riesgo de acabar metiéndose en problemas. Por eso, su padre decidió retornarle al «redil» mediante una buena dosis de disciplina, y en el año 1925, con catorce años, Jorge ingresa en el Colegio Militar, para seguir la tradición de la familia.

Y fue allí donde comenzó a forjarse definitivamente el carácter del joven Negrete. La disciplina le vino bien, y supo aceptarla sin el menor problema, cosa que parecía dudosa poco antes de su ingreso en la institución. No se libró, lógicamente, de los castigos, arrestos y reprimendas inherentes a su nueva situación, tan distinta de la anterior, pero no tardó mucho en ir aceptando las normas.

## Capítulo III

### — El Colegio Militar —

En el Colegio Militar Jorge empezó a hacer buenos amigos, muchos de los cuales le durarían toda su vida, y comenzó también a desarrollar su carácter de líder. Su personalidad era enorme, y un extenso círculo de chicos se disputaban su atención y su amistad. En pocos meses era el alumno más popular entre los nuevos cadetes. No se dejaba amilanar ni siquiera por un superior si la orden recibida o cualquier castigo que se le impusiera, a él o a algún amigo, era injusto. Llegó a tener un altercado con un cabo de guardia que estuvo a punto de costarle la expulsión del centro, pero que se saldó con un mes de arresto y una fuerte reprimenda, pese a que la razón estaba de su parte.

Fueron muchos los episodios interesantes que Jorge vivió durante sus primeros años en la institución castrense. Sus superiores se daban perfecta cuenta de que el joven cadete tenía una personalidad y un carácter poco frecuentes, pero también sabían apreciar su sentido de la justicia y su bonhomía, ya que siempre que el cadete Negrete se metía en un problema o en una pelea, era por defender a otro de alguna flagrante injusticia o de cualquier abuso. De ahí su enorme popularidad entre sus compañeros y el cariño y la estima que la inmensa mayoría de sus maestros y superiores empezaban a profesarle.

Cuatro años más tarde, en 1929, Jorge terminó sus estudios y se convirtió en militar de carrera. Su evolución había sido tan satisfactoria que le licenciaron con el grado de teniente, cuando la inmensa mayoría de los estudiantes del centro acababan sus estudios con una graduación inferior, como subtenientes. Jorge, sin embargo, se convirtió en un flamante teniente de Administración del Ejército Nacional Mexicano. Y en ese momento empezó una nueva e importante parte de su vida.

## Capítulo IV

### — Buscando otros horizontes —

Nada más acabar sus estudios, se aplicó en conseguir una beca para ampliar sus estudios y especializarse en Francia, una especie de «máster» de su especialidad, muy difícil de conseguir en aquellos tiempos. Pero el joven teniente puso el máximo interés en conseguir su objetivo. Estudió como nunca antes lo había hecho, pero al final la plaza la obtuvo un recomendado con méritos muy inferiores a los suyos, una de esas flagrantes injusticias que le exacerbaban y que solían ser causa de que se metiera en serios problemas. Sin embargo, para entonces su carácter ya se había forjado, y Jorge Negrete supo aceptar la situación con amargura pero sin reacciones viscerales.

No obstante, el esfuerzo realizado para conseguir aquella beca y la constatación de que tal esfuerzo no había servido para nada, hicieron que empezara a experimentar un creciente desinterés por el Ejército. Explicó a su familia y a sus amigos: «Esto me ha pasado una vez, y es muy posible que me vaya a pasar muchas veces más, y a eso no estoy dispuesto.» Se buscó un trabajo fuera de la disciplina castrense, pero a la vez un trabajo que le permitiera aplicar los conocimientos que había adquirido durante sus años en el Colegio Militar. De esta forma, entró a trabajar en la fábrica de armas de La Ciudadela. Muy poco tiempo tardó en comprobar que ese trabajo no le gustaba en absoluto, y que su meta en la vida estaba en otra parte. Pero, curiosamente, aún no pensaba en la música como destino de su vida; aunque seguía sintiendo una norme afición por ella, y seguía practicando con su voz y mejorando día a día su forma de cantar, lo que en aquel momento se le ocurrió fue bien distinto: llegar a ser médico.

Para su fortuna, encontró en sus superiores de la fábrica todas las facilidades para realizar su nuevo sueño, y comenzó a estudiar la carrera de Medicina con el apoyo expreso de su jefe inmediato, quien le daba todas las facilidades para sus estudios. Así, empezó a trabajar en la fábrica sólo medio día, dedicando las tardes a los estudios. Pero esa idílica situación no duraría mucho.

Hay quien se pregunta, él mismo se lo preguntaba años más tarde, qué habría ocurrido si Jorge hubiera continuado con los estudios de Medicina, cosa que podría haber ocurrido si su jefe se hubiera mantenido en aquel destino unos años más. Pero sucedió que aquel buen hombre fue trasladado y sustituido por otro de carácter bien distinto. El nuevo superior del joven teniente Negrete, nada más ocupar su cargo, suprimió todos los beneficios de que éste disfrutaba, impidiéndole continuar con sus estudios. Y Jorge tuvo que elegir: dejar su trabajo o dejar la carrera. Y como en aquel momento no podía permitirse lo primero, hubo de hacer lo segundo. ¿Debemos quizá a aquel amargado jefe esa vuelta del destino que permitió el «nacimiento» del Gran Charro?... Pues es posible que sí.

Jorge estaba un tanto desilusionado tras aquella nueva jugada de la vida; perdió completamente el poco interés que le quedaba por aquel trabajo en la fábrica de armas, aunque lo necesitaba, y no tenía demasiado claro cuál iba a ser su futuro. Hasta entonces, ni por un momento había pensado en dedicarse a cantar, aunque lo hacía cada vez con más frecuencia; en las fiestas de amigos, en cualquier acontecimiento que se terciara, Jorge tomaba su guitarra y cantaba, obteniendo un éxito más que notable entre sus audiencias, maravilladas de la portentosa voz que el joven había desarrollado, de su personalidad arrolladora y de su enorme gusto para cantar. Fue entonces cuando muchos amigos, e incluso su propia familia, empezaron a animarle a utilizar cada vez con más frecuencia ese don que el destino le había regalado y que él había sabido aprovechar de tan excelente forma.

Cuentan algunos de sus biógrafos que, cuando Jorge Negrete iba con su familia a pasear por Xochimilco, la llamada «Venecia mexicana», siempre llevaba consigo su guitarra, y mientras paseaban por los canales de la ciudad cantaba sus canciones como si de un gondolero de la auténtica Venecia se tratara. Y lo hacía de tal forma que los demás paseantes, a bordo de sus barquitas, le seguían como a un nuevo flautista de Hamelin, formándose una graciosa comitiva que recorría «a voz en cuello» las preciosas vías acuáticas de Xochimilco. Todos querían escuchar a aquel joven teniente que siempre estaba de buen humor, que cantaba como los ángeles y que tenía una personalidad realmente magnética. Empezaba a hacerse famoso entre su accidental público, y quizá él mismo empezaba a darse cuenta de ello.

Pero de nuevo el destino iba a marcar un cambio importante en la vida de Jorge, impulsándole cada vez con más fuerza hacia la que debía ser desde entonces su auténtica vida: la música. Si el destino juega fuerte en las vidas de todos, preciso es reconocer que en la vida de Jorge Negrete puso un interés muy especial para conducirle por el camino adecuado.

## Capítulo V

### — Al canto por la belleza —

Lo que ocurrió es digno de figurar en una antología del humor. Jorge Negrete no llegó finalmente al canto «por la belleza del canto», sino por la belleza femenina. Fue una mañana de 1930, cuando Jorge y su amigo Guillermo Canales, como él teniente del Ejército, paseaban por la calle Independencia, en México capital. De pronto, una preciosa muchacha atrajo la atención de ambos jóvenes, que se dedicaron a perseguirla para cubrirla de piropos. La muchacha, un tanto avergonzada pero a la vez muy ufana por el interés que había despertado en los dos atractivos militares, huía de ellos cada vez a mayor velocidad, hasta que consiguió despistarlos metiéndose en un edificio. Cuando los dos tenientes llegaron allí, no sabían exactamente dónde se había metido la guapa chamaquita, pero decidieron buscarla. Entraron en el edificio, cuya puerta estaba entreabierta, esperando encontrarla allí; tras recorrer todas las plantas de la casa, y al llegar por fin a la última sin haber encontrado rastro de la joven, una puerta abierta les dio paso hasta un gran salón en el que varias personas practicaban ejercicios de canto. Y quien les salió al paso no fue la bella damita, sino un amable anciano que les preguntó sin más: ¿Qué es lo que desean? ¿Puedo ayudarles en algo...?

Los dos jóvenes quedaron petrificados, pero los rápidos reflejos de Jorge no se hicieron esperar: «Verá, caballero... Es que queremos tomar clases de canto.» Una salida ingeniosa para escapar de una situación embarazosa que, sin embargo, marcaría definitivamente el destino de Jorge Negrete.

*El maestro Pierson*

Aquel venerable anciano no era otro que el maestro José Pierson, quien, tras mostrarse muy halagado de que dos apuestos militares se interesaran por sus enseñanzas, se dispuso a inscribirlos inmediatamente en su academia de canto. Jorge no sabía a quién tenía delante; ni él ni su amigo Guillermo sabían cómo salir de la esperpéntica situación en que se habían metido, ni sabían tampoco que aquel anciano era uno de los mejores maestros de canto de México, un hombre que había llevado a la cumbre a un buen puñado de grandes cantantes que en aquel momento eran las máximas estrellas de la música mexicana.

A Jorge le cayó muy bien el viejo profesor, por lo que convenció a su amigo para que acudieran a los pocos días a empezar a recibir aquellas lecciones; lo cierto es que ambos esperaban encontrar allí a la joven causante de aquella situación, y con esa esperanza fueron a recibir su primera lección de canto bajo las instrucciones del maestro José Pierson. A la chica nunca volvieron a verla, pero el destino de Jorge Negrete se había fijado de forma definitiva.

Muy poco tardó Guillermo en darse cuenta de que lo suyo no era la canción, y a la primera lección desistió; pero el maestro quedó prendado de la poderosísima voz de Jorge, y le animó con enorme interés a continuar las lecciones, interés que prendió inmediatamente en la mente del joven teniente Negrete. Por entonces, su portentosa voz estaba ya notablemente educada, pero carecía absolutamente de técnica. Pierson se dio cuenta de las ingentes posibilidades que aquella voz encerraba, y así se lo dijo al joven. Y éste decidió seguir con las lecciones. Su creciente desinterés por la vida militar acababa de cruzarse con un creciente interés por esa música que desde niño tanto le gustaba.

Jorge Negrete pudo haber sido un excepcional cantante de ópera, y de hecho ésa fue la primera visión que de su futuro tuvo el maestro Pierson. Por eso se aplicó a instruir a su nuevo alumno en los secretos de la música lírica. Trabajó con verdadero ahínco durante mucho tiempo, y demostró que poseía las cualidades precisas para triunfar en ese campo: unas cuerdas vocales prodigiosas, una potencia pulmonar impresionante y una capacidad de concentración encomiable, las tres cualidades imprescindibles para triunfar en esa difícil especialidad. Pierson estudió a conciencia las cualidades, defectos y registros de Jorge, para extraer de él sus máximas cualidades y corregir los lógicos defectos y latiguillos aprendidos por la inercia de esa educación autodidacta que el joven teniente había aplicado a su voz. Jorge tenía un excepcional registro de barítono, y a educar esa cualidad se empeñó el viejo profesor.

La voz de los cantantes de ópera, según los especialistas, puede dividirse en tres categorías: tonos agudos (nasales), registro medio y tonos de pecho. Negrete podía moverse con facilidad en cualquiera de esos tres registros, aunque era en el tercero donde más partido sacaba, al principio, a su portentosa voz. Según esos mismos especialistas, algunos cantantes parecen tener tres voces diferentes cuando se mueven en cada uno de esos registros, un problema que la educación de la voz suele solucionar, hasta conseguir un registro estable entre las tres formas. Saltar adecuadamente de un registro grave a uno agudo es el gran problema, y Jorge podía hacerlo prácticamente desde el primer día en que el profesor Pierson lo tomó bajo su tutela. A los pocos meses, el joven teniente era capaz de cantar una pieza para un barítono, una para un tenor u otra para un barítono bajo. De hecho, con el tiempo, llegaría a convertirse en un maestro de cualquiera de las especialidades, ya que supo utilizar a la perfección las distintas «categorías» del registro que él tenía.

Unos cuantos meses después de iniciar su auténtico aprendizaje junto al maestro Pierson, Jorge Negrete se vio obligado a interrumpir las clases, ya que fue destinado a la ciudad de Puebla, a 200 kilómetros de México, para ocupar el cargo de administrador del Hospital Militar. Aquello partía de nuevo por la mitad sus recién estrenadas ilusiones, y esta vez Jorge no estaba dispuesto a dejarse arrastrar por un nuevo toque de «mala suerte». Aunque seguía sintiendo un intrínseco amor por el Ejército, no era menos cierto que cada día sentía menos interés por seguir en el mismo, y bien poco tardó en tomar la decisión de abandonarlo. Así que resolvió pedir la excedencia.

Semanas después retomaba sus clases y se afanaba en foguearse en su nueva profesión, la que ya había decidido que sería la definitiva: cantante lírico. Para ello, decidió probarse a sí mismo trabajando para una pequeña emisora de radio, la XETR, que no tenía una gran audiencia, pero que podía servirle muy bien para calibrar sus auténticas posibilidades. José Pierson le animó a que así lo hiciera, pero le convenció de que por el momento, mientras su técnica acababa de perfeccionarse, cantara bajo un seudónimo. Así, Jorge Negrete adoptó un nuevo nombre, Alberto Moreno, que era en realidad su segundo nombre y su segundo apellido. Y como Alberto Moreno comenzó a cantar en la XETR, haciendo prácticamente de todo, probando cualquier registro: ópera, canciones populares, rancheras, romanzas, corridos... y en todo ello era ya casi un maestro.

Aquella emisora tenía muy escasa repercusión, pero fue importante para el futuro desarrollo profesional del incipiente cantante. Y un buen día, una emisora mucho más poderosa, la XEW, de hecho la más importante del país y la que con mayor audiencia contaba, requirió sus servicios. El primer gran paso ya estaba dado. Emilio Azcárraga, propietario de la emisora, se había fijado en el joven Jorge Negrete y desde el primer momento supo que aquel nuevo cantante iba a dar mucho juego. El contrato que le ofreció era bueno, y Jorge no dudó en aceptarlo, siempre apoyado por su maestro, al que cada vez veía ya con menos frecuencia.

## Capítulo VI

### — Agustín Lara —

En la XEW Jorge Negrete empezó hacer nuevos amigos. Agustín Lara tardó muy poco en convertirse en uno de los mejores colegas del joven cantante, pero también figuras como Emilio Tuero, Juanito Arvizu, Ramón Armengod o María Greever le acogieron con entusiasmo en su círculo. La simpatía de Jorge, su extraordinario carácter y el indiscutible atractivo que irradiaba le ayudaron, incluso más que sus propias cualidades profesionales, a ser magníficamente aceptado en la elite de la música mexicana. Su destino estaba definitivamente sellado, y su nueva vida acababa realmente de empezar. Agustín Lara, conquistador y romántico como pocos, le tomó bajo su especial protección, quizá por el evidente interés que despertaban ambos cuando cenaban en algún restaurante de lujo y, a los postres, decidían hacer juntos unas canciones para deleite de la selecta clientela. A Lara, según él mismo reconocía, le «venía muy bien» la amistad de Jorge, porque las mujeres se les acercaban como moscas a la miel...

Por aquel entonces, otra gran figura mexicana, Arturo de Córdova, era locutor en la XEW. En un principio no hicieron muy buenas migas, porque a De Córdova, antimilitarista, no le gustaba que el recién llegado fuera (o hubiera sido hasta muy poco antes) militar. Pero pronto el carácter de Jorge Negrete se ganó a Arturo, derribó sus reticencias y entre ambos nació una amistad que duraría toda su vida.

Por aquel entonces Jorge Negrete seguía metido en la línea más lírica dentro de sus posibilidades, no se había lanzado aún a la que sería su vía principal: la música popular auténticamente mexicana, esas rancheras y esos corridos que vendrían más tarde y que le convertirían en el más grande cantante latino de América. La línea que estaba siguiendo no era quizá la adecuada, ya que no conseguía conectar de verdad con el público y no le llegaba el éxito que merecía, y sólo algunas de sus interpretaciones eran acogidas con cierto entusiasmo por la numerosísima audiencia de la emisora. Por entonces, todas las actuaciones eran en directo, apenas existían las grabaciones (o, mejor, apenas nadie del pueblo llano tenía un tocadiscos en su casa) y la radio era como un gran teatro donde el artista debía jugarse la cara día tras día. Y día tras día, Jorge seguía su camino, creciendo despacio, ganándose lentamente a un público que empezaba a fijarse en él. Jorge Alberto Negrete (le gustaba utilizar sus dos nombres) empezaba a darse a conocer en todo el país. Algunas de las canciones que interpretaba, como «Muñequita Linda» o «Júrame», y varias piezas de su nueva amiga la compositora María Greever, empezaban a hacer mella en el público.

## CAPÍTULO VII

### — UN «OBRERO» DE LA CANCIÓN —

DURANTE el tiempo en que Jorge trabajó como «obrero de la canción» en la XEW ganaba poco dinero y no vivía con esplendidez. Su familia estaba bien situada, pero él quería salir adelante por sí mismo y se negaba a recibir ayuda de nadie. Así pasó varios años sufriendo algunas privaciones, moviéndose siempre en el círculo de amigos que, poco más adelante, también se convertirían en estrellas, aunque ninguno, salvo Agustín Lara, llegaría al cenit alcanzado por el ex teniente de Guanajuato. Entre aquellos amigos cabe destacar a dos: Emilio Tuero, apodado «El barítono de Argel», y Ramón Armengod, «El chansonnier veracruzano». Los tres formaban un grupo bastante juerguista, y eran muy queridos en el Café Tupinamba, un local muy frecuentado en aquella época por artistas y cantantes. Ninguno andaba por entonces muy sobrado de dinero, y resulta graciosa una anécdota que se cuenta de una de aquellas noches de farra en el Tupinamba. Andaban por allí reunidos los dos amigos de Jorge con el compositor Chucho Monge, y no tenían dinero para pagarse la cena. Entonces entró Negrete y, dando un golpe en la mesa, dijo: «¡Ya está bien... Es intolerable ver la cara de muertos de hambre que tienen, y esto lo arreglo yo!» Y quitándose un grueso anillo heredado de su padre, se lo entregó a uno de los amigos diciéndole: «Vete al joyero y empéñalo. ¡Pero no vayas a venderlo, que es un recuerdo de familia y lo quiero recuperar en cuanto se nos acabe esta mala racha!» El encargado de la pignoración salió disparado para regresar poco después con un buen montón de billetes. Jorge los tomó y los repartió entre los amigos. Y cenaron todos como si fuera la última vez que lo hacían.

Eran tiempos duros, pero también eran tiempos alegres. El círculo de amistades de Jorge Negrete iba ampliándose poco a poco, y también las oportunidades de mejorar iban pasando ante él cada vez con más frecuencia. Era también cada vez más habitual que, cuando los amigos estaban en un restaurante, hubiera quien les invitara a una excelente cena si se avenían a alegrar a la parroquia con unas cuantas canciones a los postres. Y aquello de «cantar por la cena», si no en una costumbre, sí llegó a convertirse para ellos en una interesante posibilidad, que sin embargo no explotaban demasiado porque, según decían, «les daba vergüenza». Preferían cantar gratis, por gusto, y no convertirse en algo parecido a aquellos antiguos trovadores que cambiaban su arte por viandas. Pero la vida seguía, y cada día se veía más cerca el final del túnel.

## Capítulo VIII

### — Una desafortunada primera oportunidad —

Así, en 1935 se presentó la primera de esas nuevas posibilidades interesantes que se vislumbraban en el horizonte. Roberto Soto, uno de los más famosos cantantes líricos de México, estaba triunfando desde hacía meses en el Teatro Lírico. Un buen día, un amigo común le suplicó que escuchara al joven Jorge Negrete, porque podría interesarle lo que oyera. Y Soto, aunque un tanto escéptico dada la cantidad de veces que le pedían que escuchara a uno u otro de los muchos nuevos artistas que se movían por el ambiente, accedió en honor a su amigo a escuchar al teórico nuevo valor. Le citó en el teatro y allá fue Jorge Negrete, con los nervios de punta, a ser escuchado por uno de los más importantes cantantes del país. De nuevo el destino había puesto sus manos sobre la cabeza del ex teniente, y de nuevo su vida iba a dar un giro notable.

De Soto, tras los primeros momentos de frialdad, se quedó impresionado con lo que oyó. Sin orquesta, ni siquiera un pianista para acompañarle, Jorge empezó cantando con nervios, hasta que decidió mostrar sus cualidades mediante un do de pecho que dejó al gran de Soto pasmado. En ese momento, el tenor se dirigió a Jorge Negrete, le felicitó efusivamente y le contrató en el acto. Todo parecía ir cada vez mejor...

Pero el destino, ese destino que tanto disfrutaba haciendo malabarismos con la vida de Jorge Negrete, decidió jugarle una última mala pasada. Cuando llegó su debut con la compañía de De Soto, a Jorge Negrete le hicieron una auténtica broma macabra. Tuvo que debutar de la peor manera: vestido de romano, flagelando a unos esclavos cristianos y cantando una pieza sin el menor interés. El público le abucheó y a Jorge casi se le van las ganas de volver a cantar durante el resto de su vida, pero aguantó a pie firme. ¿Fue una prueba a la que le sometió De Soto para comprobar su reacción ante un público grande e importante, y de paso en contra suya, o fue simplemente otra jugada de su destino, ése que tanto se divertía haciéndoselas pasar canutas...? Nunca lo sabremos, ni el propio Jorge Negrete lo supo jamás. Pero así ocurrió. Y lo que sucedió después, por fortuna, nada tuvo que ver con aquel triste debut.

## Capítulo IX

### — Se acabó la paciencia —

Porque de hecho aquello sirvió para que Jorge Negrete decidiera dar otro giro radical a su carrera. El injusto fracaso cosechado en el Teatro Lírico acabó con su paciencia; era ya mucho tiempo en la radio cantando cosas que no le llenaban, y era demasiado tiempo tratando de ser alguien en la música lírica, aun teniendo mejor voz que la mayor parte de quienes triunfaban en ese medio. Jorge Negrete ya sabía, porque lo había comprobado innumerables veces, que a sus accidentales públicos fuera de los locales profesionales donde le obligaban a moverse, le gustaban mucho más sus interpretaciones de temas populares; les entusiasmaban sus rancheras, enloquecían con cualquier corrido y le repetían una y otra vez que su camino estaba ahí, en ese campo, en la de la música más popular. Lo ocurrido en el Teatro Lírico acabó de convencerle de que, al menos, debería probar esa otra posibilidad. Y decidió empezar a ensayar, ya «en serio», boleros, rancheras y corridos. Y entonces sí, entonces su destino decidió dejar de jugar y su futuro, el más brillante posible, quedó sellado.

En muy pocos años, Jorge Negrete iba a convertirse en el máximo exponente de la historia de la música ranchera. Una música que había surgido en México a comienzos del siglo XX, y que era fruto del desarrollo de las tradicionales orquestinas que existían en los ranchos. Puede decirse que la música ranchera se desarrolló completamente a partir de 1910, con la Revolución. Era una música puramente del pueblo, del pueblo mexicano, que había surgido como una especie de reacción contra las costumbres extranjeras impuestas en el país por los antiguos colonizadores europeos, españoles y franceses, dueños y señores, hasta entonces, de casi cualquier tipo de cultura en el país.

La música de los ranchos tenía sus raíces en el folclore antiguo, el que estaba ahí desde antes de que nadie impusiera «normas» llegadas de otra parte. Era una música festiva, alegre, narrativa y cargada de sentido. Durante los primeros años de su existencia, es decir, en los albores del siglo XX, la «ranchera» se caracterizaba sobre todo por su peculiar estructura musical: cada frase terminaba en una nota que se sostenía desde un tono agudo para ir descendiendo poco a poco hasta completar la estrofa. Esto, en principio, pudo ser una casualidad, pero acabó siendo una técnica para acabar convirtiéndose en un estilo perfectamente definido.

Durante la Revolución, los textos de las canciones narraban historias épicas, historias de la guerra, de las hazañas de unos y otros, de lo que los mexicanos tenían que vivir y sufrir. De esos «relatos» cantados surgieron los «corridos», que poco a poco fueron adquiriendo su propia personalidad y convirtiéndose en un género nuevo, diferente y, sobre todo, sumamente popular. Y puramente mexicano, por supuesto. El corrido es un romance a la vieja usanza, un romance cantado de estructura lineal, con raíces en la música folclórica del sur de España. Antes de su «explosión» en el siglo XX, los corridos eran prácticamente romances recitados, lo mismo que sucedía en España con los «romanceros» callejeros. Los recitadores ambulantes los «contaban» por calles y plazas en los pueblos, y los vendían dibujados, a modo de comics, en papel. Una costumbre importada de España que, poco a poco, fue variando hasta convertirse en otra cosa, en algo puramente mexicano y diferente. Aunque en principio los textos de estos corridos se inspiraban en hechos y gestas de la Revolución, con el tiempo se abrieron a cualquier temática.

Y con la música ranchera crecieron también los mariachis. Eran orquestas de entre tres y doce músicos, con instrumentos de cuerda y de viento, que resultaban el acompañamiento perfecto para las voces de los cantantes de este tipo de canción. Y así, a partir de 1910, rancheras, corridos y mariachis empezaron a ir de la mano, hasta convertirse en pocos años en la música más pura de México, su música autóctona por excelencia.

A Jorge Negrete le gustaba la música ranchera, y para él cantar un corrido era más que un entretenimiento. Ponía más vida en un corrido durante una juerga que en cualquier pieza clásica que hubiera tenido que ensayar durante semanas. Y como cada día tenía mejor técnica cantando, decidió probar a cambiar de estilo. Así, Jorge Negrete pasó de ser un cantante lírico para convertirse en «ranchero» con el único fin de probar suerte, sin saber que iba a ser precisamente él quien llevara a su máxima expresión este estilo musical.

Una vez que Jorge Negrete decidió convertirse en cantante «popular», pensó en abrir su camino hacia otros horizontes, buscando algún trabajo interesante en otro país. Sabía que un buen cantante mexicano tenía posibilidades de ser bien aceptado en los Estados Unidos y, de hecho, en cualquier país de América Latina. Se dedicó a buscar contratos fuera, buscó representantes que pudieran ayudarle, pero no parecía sencillo. Hasta que una noche, cenando con sus eternos amigos Ramón Armengod, Emilio Tuero y Chucho Monge en un viejo y famoso restaurante de la capital mexicana, el primero comunicó a los demás que tenía una buena oferta para actuar en Nueva York, en la emisora NBC. La oferta era extensiva exclusivamente a Armengod y a Tuero, quien desde el primer momento la estimó un tanto arriesgada. Jorge Negrete intervino para preguntarles si no sería demasiado riesgo para ellos abandonar México en un momento en que las cosas empezaban a irles mejor. Pasaron unos días y Tuero decidió que, efectivamente, no le interesaba demasiado en aquel momento dejar México. Armengod se indignó, ya que había aceptado la oferta en nombre de ambos, y ahora se quedaba «compuesto y sin novia» para cumplir su compromiso. Pero Jorge Negrete, que en un principio les había desaconsejado aceptar la oferta, de pronto anunció una solución: «Yo te cubro. Si quieres, yo voy por ti. A ustedes les va cada vez mejor aquí, pero a mí no, y yo sí puedo correr el riesgo...».

Y de esta manera fue como Jorge Negrete, sin haber sido llamado para ello, se vio haciendo los belices para irse a Nueva York en sustitución de un amigo. La NBC aceptó el cambio, y de nuevo Jorge Negrete emprendía una aventura que debería conducirle, paso a paso, hacia el éxito final que tanto tiempo llevaba buscando.

Y así, Negrete y Armengod formaron un dúo que se llamó «The Mexican Caballeros».

## Capítulo X

### — Nueva York —

Jorge Negrete llevaba tiempo analizando la posibilidad de triunfar fuera para volver a su país con un camino algo más allanado de lo que se le había presentado hasta el momento. No tuvo miedo alguno en acometer la aventura que se abría ante él y, seguro de sí mismo como lo estaba, se lanzó de cabeza al mundo desconocido pero prometedor de la ciudad de los rascacielos. Si algo le caracterizaba era precisamente su carácter escasamente pusilánime, su valentía para afrontar riesgos.

Así, a finales de 1936 Jorge y Ramón, The Mexican Caballeros, se plantan en Nueva York con un contrato sólido y prometedor. Precedidos de su buen nombre (especialmente Armengod) y con el entusiasmo de la juventud, se les presentaba un horizonte, en principio, bastante halagüeño. Pero las cosas no iban a ser tan fáciles como de entrada parecían.

Según su contrato, su trabajo se limitaba a actuar los martes y los viernes, desde las siete de la tarde y durante tres cuartos de hora, lo que les garantizaba un salario importante para México pero algo exiguo para Nueva York: setenta dólares a la semana para cada uno. Lo que no daba, evidentemente, para residir en un hotel de lujo ni para pasarse las noches conociendo los grandes restaurantes de la Gran Manzana. Así que se alojaron en un hotelito modesto, el Belvedere, en un lugar relativamente céntrico, la calle 48, pero muy alejado de los lujos del Waldorf Astoria.

Pero eso no les importó en absoluto, al menos en un principio. Llegaban con ganas de comerse «la Manzana», e iban a intentarlo con todas sus fuerzas.

Y comenzaron las emisiones del programa de los dos mexicanos, desconocidos en la ciudad, pero que tenían la intención de hacerse famosos en el menor tiempo posible. El programa empezaba con una sintonía que no era otra cosa que la canción «Tu partida», y que poco después empezaba a ser «ligeramente conocida» entre la audiencia de aquella emisora.

Lógicamente, los dos amigos tenían demasiado tiempo libre como para pasarse casi toda la semana paseando, así que rápidamente empezaron a utilizar las nuevas relaciones y amistades que iban surgiendo ante ellos gracias al programa de radio. Artistas, empresarios, periodistas y representantes iban apareciendo en sus vidas tarde tras tarde en los estudios de la NBC, y pronto esas nuevas relaciones empezaron a dar sus frutos fuera de la emisora.

Así, pronto habían conseguido doblar el sueldo que ganaban en la radio mediante otro contrato, obtenido gracias a un amigo, que les permitía actuar en el Teatro Hispano cobrando la ya más importante cifra de ciento cincuenta dólares por semana y por cabeza. En el Hispano, los dos amigos cantaban las canciones que más fama les habían proporcionado en México y que, lógicamente, eran también las que mejor aceptación tenían entre el público latino de Nueva York. Canciones como «Adiós, Mariquita Linda» o «Siboney», un repertorio compuesto en su mayor parte de boleros, pero en el que también, de cuando en cuando, incluían alguna ranchera y hasta algún corrido, como cosa excepcional. Entre las cosas que los Mexican Caballeros llegaron a hacer durante su corta existencia en Nueva York, quizá la más importante fue su actuación en Radio City Music Hall, acompañados al piano por Paul Baron.

## Capítulo XI

### — Jorge se queda solo en Nueva York —

Corría 1936 y su vida en Nueva York iba haciéndose cada vez un poco más fácil, dentro de las muchas dificultades con las que día a día habían de pelear. Otros artistas mexicanos habían seguido sus pasos, e incluso se habían alojado en su mismo hotel (para entonces, ya como su casa); hasta allí llegaron hombres que, pocos años más tarde, serían también estrellas, como el mismo Alfredo Gil, quien sería parte del alma de Los Panchos a no tardar mucho. Pero las cosas parecían haberse estancado. Ganaban lo suficiente para vivir, pero no para ahorrar siquiera un mísero dólar, ni tampoco sus horizontes parecían tener visos de ampliarse. Se veían inmersos en un círculo cerrado, exclusivamente para un mercado latino pequeño y con poca capacidad adquisitiva. Las puertas verdaderamente importantes no se abrían para ellos.

Un buen día de 1936, mediado el año y ante la llegada del verano, Ramón Armengod empieza a sentir nostalgia de su país. «Estoy harto, así no vamos a llegar a ninguna parte. Te propongo volver a México», le dice a Jorge. Pero éste le responde: «¿Y volver como unos fracasados ante todos? De ninguna manera, antes prefiero morirme de hambre aquí.» Y ahí acabó el dúo. Armengod decidió regresar y Jorge prefirió quedarse. Solo, para buscarse la vida como pudiera, sin miedo a un futuro que aún no se mostraba demasiado espléndido. ¿De nuevo el destino? Quizá, pero lo cierto fue que ese hecho de quedarse solo fue quizá el espaldarazo definitivo de la suerte que

Jorge Negrete iba necesitando desde mucho tiempo atrás. Y mientras The Mexican Caballeros pasan a la historia, empieza la auténtica carrera de Jorge Negrete, El Gran Charro.

Jorge Negrete siguió luchando, solo, en Nueva York. Pensaba que los amigos que habían surgido en su vida en los últimos meses habrían de servirle de algo, y así fue. Se contrató en un cabaret de Times Square, el «Yumuri», un local de ínfima categoría, haciendo las funciones de presentador del show. No era lo suyo, pero le ayudaba a sobrevivir en la Gran Manzana. Y allí, en el Yumuri, nacería una buena amistad entre Jorge y el hombre que dirigía la orquesta del cabaret, el cubano Eliseo Granet, quien tendría una gran influencia en los futuros viajes del mexicano a Cuba.

Entre tanto, en México empezaban a echarle de menos. Su aventura neoyorquina había sido bien explotada por sus amigos en la prensa, y se decía que Jorge Negrete estaba obteniendo un gran éxito en Nueva York. Su amigo Armengod colaboró sustancialmente a que tal especie se difundiera con prodigalidad, pese a no tener demasiado de cierta... El caso fue que su hermano David, quien poco a poco se convertía en su auténtico manager —puesto que ya ejercería durante toda la vida de Jorge—, le había gestionado y conseguido una serie de pruebas para el cine, firmando precontratos que parecían bastante interesantes. David llevaba tiempo dedicándose a cultivar una posible futura carrera cinematográfica de su hermano, firmemente convencido como estaba de que Jorge Negrete podría llega a ser una estrella de la pantalla. Y a ese interés de David se debe, sin duda, que Jorge alcanzara tal meta.

## Capítulo XII

### — Primeros pasos en el cine —

El primer intento de David no tuvo éxito; buscó una película para su hermano, «*Celos*», pero a Jorge Negrete no le pareció adecuada, ya que su papel era demasiado secundario. Para empezar, no habría estado mal, pero a Jorge ya no le gustaba ir «de segundón» de nadie. Ya empezaba a asimilar que su futuro sólo pasaba por ser una estrella. En aquella película, el papel que se le ofreció a Jorge y que éste finalmente no aceptó iba a ser cubierto por un compañero suyo de la radio, aquel joven con el que en principio no había establecido unas relaciones demasiado buenas, pero que poco más tarde se convertiría en un buen amigo y, poco después de eso, en una de las mayores estrellas de la pantalla mexicana: Arturo de Córdova.

Aunque Jorge Negrete aún no había debutado en el cine, los buenos oficios de su hermano David empezaban a dar sus frutos. Pese a haber rechazado su oferta para coprotagonizar «*Celos*», los productores mexicanos seguían fijándose en el joven Negrete, y su nombre empezó a sonar como protagonista de una producción importante: «*Allá en el rancho grande*». Aquel contrato estuvo a punto de convertirse en realidad, pero en aquella película, que iba a ser la primera de Jorge Negrete, en el último momento el papel protagonista se adjudicó a Tito Guizar, cuyas exigencias no eran tan grandes como las del joven nuevo actor, que sin haber debutado ya se las daba de gran figura. Y aunque hacía bien en valorarse alto, esta vez le salió mal, y se quedó sin aquel papel.

Pero finalmente, tras estos dos primeros escarceos fallidos, la primera oportunidad de Jorge en el cine iba a llegar de la mano del productor Gonzalo Varela, quien junto al director Ramón Peón estaba preparando una película que necesitaba de un protagonista con unas características muy especiales, un hombre difícil de encontrar entre los actores del cine mexicano de aquel momento. Director y productor, tras buscar hasta debajo de las piedras un hombre que reuniera las características exigidas, se acordaron de Jorge Negrete y se pusieron en contacto con su hermano David, a fin de ofrecerle un contrato que, para aquella época, resultaba bastante interesante, ya que no sólo el dinero, que no estaba mal, era atractivo, sino sobre todo la posibilidad de que un actor novel, como Jorge Negrete, pudiera acceder al gran público llevado algado por un director de alto nivel y un productor de los que no ahorran a la hora de conseguir una buena película.

De esta forma, hasta Jorge Negrete llegó una oferta que, en aquel momento, no podía ni debía rechazar: el papel protagonista en una película de respetable presupuesto y la suma de mil pesos mexicanos por semana como salario, un salario muy elevado para lo que Jorge Negrete acostumbraba a cobrar en aquellos días. Cuando la oferta llegó a sus manos, la aceptó con una condición: además del salario ofrecido, deberían pagarle los billetes de avión para regresar a su país y más tarde retornar a Nueva York, a su actual trabajo. Lógicamente, esta condición fue aceptada y pocos días más tarde, iniciándose abril de 1937, Jorge Negrete se encontraba ya en México realizando las pruebas para la que iba a ser su primera película, la primera de una larga serie de treinta y cinco filmes (la mayoría de ellos, a partir de 1941, de enorme éxito): «*La madrina del diablo*».

Aquella primera película, dirigida como mencionábamos por Ramón Peón, estaba protagonizada por Jorge Negrete y por María Fernanda Ibáñez, y en el cartel se incluían los nombres de Consuelo Segarra, María Calvo, Miguel Manzano, Ramón Pérez y María Castañeda. La música era de Max Urban y las canciones, de Manuel Sereijo. Un buen reparto para una película que daría unos resultados acordes con él.

En aquella primera película Jorge compartía el protagonismo con la actriz María Fernanda Ibáñez, hija de la famosa Sara García. Una joven encantadora que cautivó al novato actor tras los primeros ensayos. María Fernanda era una mujer de indudables encantos, amable, dulce y delicada. A Jorge Negrete le llegó al corazón, y también él llegó al corazón de ella, sin duda, ya que no tardó demasiado en surgir un romance que nadie se esperaba.

## Capítulo XIII

### — El primer «amor imposible» —

Prácticamente a las dos semanas de haber iniciado su trabajo juntos, Jorge Negrete estaba perdidamente enamorado de María Fernanda, hasta el punto de sentirse decidido a proponerle matrimonio. Cosa que, sin que él llegara jamás a saber por qué, quedó abortada por una circunstancia que nadie nunca explicó. Cuando finalizó el rodaje de la película Jorge Negrete volvió a Nueva York para continuar con su trabajo anterior, y desde allí se dedicó a escribir a su nuevo amor con toda la asiduidad que le era posible. Nunca supo por qué sus cartas no eran contestadas, pero lo cierto es que estaba ocurriendo algo parecido a lo que sucede en esos argumentos de las novelas románticas en las que los protagonistas son víctimas de las peores jugadas del destino. De cualquier forma, el caso fue extraño. María Fernanda jamás respondió a las cartas, pero por la sencilla razón de que nunca llegó a recibirlas, dado que alguien, probablemente una persona muy cercana de su familia, se dedicó a interceptarlas. Estaba decidido que la joven había de casarse con un adinerado ranchero, y así fue. Jorge Negrete pensaba que ella había perdido todo interés por él, y sólo muchos años más tarde descubriría lo que en realidad ocurrió. Pero por aquel entonces tuvo que limitarse a asimilar aquel triste guiño del destino.

El hecho fue que a los pocos meses de haber terminado el rodaje de la película, María Fernanda se casó con un hacendado, y poco después murió durante el parto de su primer hijo. Cuando

Jorge Negrete lo supo, lo sintió de veras, porque estaba realmente enamorado de la joven. Pero poco pudo hacer.

Fue en aquel año de 1937 cuando Jorge Negrete contrajo una hepatitis que, en principio, no parecía tener demasiada importancia. Tras un tratamiento que el cantante no se tomó demasiado en serio, la hepatitis remitió, pero no se curó por completo. En los años siguientes tendría algunas leves recaídas, y el problema nunca desapareció totalmente. Al cabo de los años, aquella hepatitis sería la causa de su prematura muerte.

## Capítulo XIV

### — La segunda película —

Jorge Negrete seguía prácticamente afincado en Nueva York cuando otro productor, Jesús Grovás, le ofreció la posibilidad de hacer una nueva película. Así, Jorge Negrete retornó a México para rodar un filme que se llamaría «*Huapango*», cuando se iniciaba el año 1938. Pero esa película nunca llegaría a hacerse realidad, ya que el productor tuvo muchos problemas con la preparación de la producción y hubo que abandonar el proyecto. Jorge Negrete iba ya a volver a Nueva York cuando le llamó de nuevo el hombre que le había dado su primera oportunidad en el cine, Gonzalo Varela, y le ofreció una nueva película. Los resultados de «*La madrina del diablo*» habían sido buenos, y esta vez ponía a disposición de Jorge más medios. Así, el mexicano se comprometió a rodar «*La Valentina*», un melodrama ranchero, dirigido por Martín de Lucena y coprotagonizado por Esperanza Baur, Raúl de Anda, Paco Astol, Pepe Martínez y Roberto Palacios. En esa película Jorge Negrete hacía el papel del general revolucionario villista «El Tigre», quien se disputa con un charro, Miguel (Raúl de Anda), el amor de la bella Valentina (Esperanza Baur). La protagonista femenina del filme, Esperanza Baur, se convertiría con el tiempo en la esposa del archifamoso actor norteamericano John Wayne.

También en esta película surgió un nuevo hecho destacable: las canciones que se buscaban para Jorge empezaban a dar buenos resultados. En esta ocasión, dos canciones de Armando Cornejo,

«*Bandolero del amor*» y «*Ventanita iluminada*», comenzaron a popularizarse en poco tiempo, al igual que el tema que daba título a la película.

Durante el rodaje de «*La Valentina*», que comenzó en febrero de 1938, Jorge Negrete conoció a Elisa Christy (Elisa Zubarán), hija de Elisa Asperó y del actor español Julio Villarreal. Un par de incidentes, debidos al mal carácter de la joven, hicieron que Jorge Negrete no le dirigiera la palabra durante todo el rodaje. Esto, en el futuro, traería cierta cola.

# Capítulo XV

## — El cine, camino abierto —

En los meses siguientes, Jorge Negrete filmó varias películas más; su camino en el cine estaba ya definitivamente abierto, y cada día era mayor el número de sus seguidores. Así, en ese mismo año de 1938 rodó «*Caminos de ayer (La mano de Dios)*», la historia de unos jóvenes irresponsables que matan a un inocente tras una parranda; fue dirigida por Quirico Michelena y con Carmen Hermosillo, Eduardo Arozamena y Victoria Argota como principales compañeros de reparto. Algunas secuencias de esta película debían rodarse en Guadalajara, y fue durante esos días en que el equipo se trasladó a esta ciudad cuando Jorge Negrete conoció a María Félix, la mujer que sería el último gran amor de su vida.

Por entonces, María Félix no era más que una chica desconocida que quería ver de cerca a su ídolo, y se fue al set de rodaje, como tantos otros fans. A Jorge Negrete debió llamarle la atención la belleza de la muchacha, porque se acercó a ella y, sin más, la invitó a cenar. Ella le contestó: «Lo siento, pero estoy casada.» «No importa, no soy celoso», le contestó el cantante. Pero ahí quedó la cosa.

También en esta película hubo canciones que se convirtieron en importantes, especialmente «*Guadalajara*», de Pepe Guízar, y «*Caminos de ayer*», de Gonzalo Curiel.

Poco más tarde, en el mes de julio de ese mismo año, Jorge Negrete inicia el rodaje de «*Perjura*» (su ritmo haciendo películas empezaba a ser frenético). Dirigida por Raphael J. Sevilla, esta película tenía en la cabecera del cartel, además de a Jorge Negrete, a Marina Tamayo, Sara García, Elena D'Orgaz y Luis G. Barreiro. La música era de Manuel Castro Padilla y las canciones, de Miguel Lerdo de Tejada. En esta ocasión fueron dos las canciones que alcanzaron popularidad: la que daba título al filme y «*Las violetas*», ambas de Miguel Lerdo de Tejada. La película era un drama entre rural y «de alta sociedad», demasiado «denso» incluso para la época.

Durante el rodaje de esta película, él inició un idilio con la muchacha que iba a ser su novia durante una temporada, Marina Tamayo, quien poco más tarde, sin embargo, le dejaría para casarse con uno de sus grandes amigos, Emilio Tuero. Fue un noviazgo corto, que quedó roto de forma repentina; Marina se había hecho muy amiga de la hermana pequeña de Jorge Negrete, María Teresa; un día que ambas salieron juntas, María Teresa se dio cuenta de que alguien las seguía: era Jorge Negrete, que estaba convencido de que su novia le era infiel. Poco más tarde, el cantante comprobó que no se equivocaba, ya que Marina se encontró con Emilio Tuero. Y ahí acabó la historia de aquel noviazgo.

Durante 1938 aún rodaría cuatro películas más: un ritmo de trabajo verdaderamente infernal. En septiembre rueda «*Aquí llegó el valentón*» (llamada también «*El fanfarrón*» en el mercado latino), la historia de un rico hacendado y un bandido de buen corazón; dirigida por Fernando A. Rivero, tenía a María Luisa Zea, Magda Haller y Emilio Fernández en la cabecera del cartel; la música y las canciones eran de Manuel Esperón, y en esta ocasión fueron «*Ay, caray*» y «*Llegó el fanfarrón*» las que consiguieron popularizarse.

Al mes siguiente, y con un reparto prácticamente idéntico pero con otro director, Juan Segura, filma «*Juan sin miedo*», protagonizada por Jorge Negrete y el famoso torero Juan Silveti, quien hacía de sí mismo en esta película encarnando al padre de Jorge. Silvetti se oponía a que su hijo siguiera sus pasos y se hiciera torero, lo que se mezcla además con la falsa acusación del asesinato de la amiga de su padre... Enrevesado, pero con final feliz. Fue una película con mucha música, pero no hubo canciones que consiguieran la popularidad que habían obtenido las de sus películas anteriores.

## CAPÍTULO XVI

### — ELISA CHRISTY, UN ROMANCE «POCO SERIO» —

EN esta época de actividad frenética, Jorge Negrete encontraba muy a menudo a Elisa Christy, con quien había trabajado en «*La Valentina*» y con la que desde entonces mantenía una tensa relación debido al explosivo carácter de la joven; Elisa era hija del actor español Julio Villarreal, que sería compañero de reparto de Jorge Negrete en muchas de sus películas. Solía verla en un restaurante al que iban con frecuencia Jorge y su hermano David, pero nunca llegaban a cruzarse siquiera un saludo. Con Elisa solía ir su íntima amiga Georgette Samohano.

Un buen día Elisa debutó en el Teatro Fábregas, y Jorge Negrete y su hermano fueron al estreno. Al acabar, se acercaron al camerino para felicitarla, y de paso Jorge la invitó a salir cualquier día. Así empezó un nuevo noviazgo. Fue ella quien en realidad acabó perdidamente enamorada del actor-cantante, quien la llamaba «la changuita»; pero no parece que a él la cosa le pareciera demasiado seria, ya que no hacía demasiado caso a su nueva novia pese a que ésta le sometía a una agobiante persecución.

Con la frenética vida que él llevaba, lo único que no necesitaba era esa persecución, pero como caballero que era, se sometió a ella y siguió dando a su nueva novia toda clase de caprichos. A partir de entonces, Jorge siempre la llamaría cariñosamente «Negrita».

Entonces, le ofrecen rodar «*Juntos, pero no revueltos*», otra vez con Fernando A. Rivero en la dirección. La música, una vez más, era de Manuel Esperón. En esta ocasión se trataba de una comedia simpática y agradable, la historia de varios personajes pintorescos que vivían en el mismo edificio. Jorge Negrete se apresuró a incluir en el reparto a su nueva novia, Elisa Christy.

Junto a Jorge Negrete, estaban en la cabecera del elenco Rafael Falcón, Susana Guizar, Lucha María Ávila y Armando Soto. Pero esta película, sin embargo, llegó a ser realidad gracias a una moneda; es decir, a la suerte. Una vez ofrecidos los papeles a todos los protagonistas, Rafael Falcón exigió ser protagonista absoluto, es decir, figurar el primero en la cabecera del reparto. El productor, en ese momento, se vio en un auténtico dilema: Falcón era una estrella del cine mexicano, pero Jorge Negrete era la mayor estrella emergente de ese mismo cine y de la música de su país. Tuvo que someter a ambos a una discusión cuyo resultado decidieron entre ambos jugarse a águila o sol. Curiosamente, perdió Jorge Negrete, pero hizo honor a su palabra y decidió aceptar el mandato de la suerte. Así que en esa película figuró como protagonista principal Rafael Falcón, quedando Jorge Negrete en un segundo lugar. En realidad, tampoco le importaba demasiado... Falcón era una estrella, pero estancada; él también era una estrella, pero nueva y rutilante.

Como puede verse, el ritmo de rodaje de películas que él llevaba era tan agobiante como el de los primeros años del cine mudo: un filme tras otro, con tres o cuatro semanas de rodaje, un montaje vertiginoso y una comercialización parecida a la que actualmente se hace con los capítulos para cualquier serie de televisión.

Así, al llegar el final de aquel año delirante, aún tuvo que hacer una nueva película, «*El cementerio de las águilas*», bajo la dirección de Luis Lezama y con Margarita Mora, Celia D'Alarcón y José Masip en el reparto. Un canción de esta película alcanzó una notable popularidad: «*Una palabra, una oración*», de Alfonso Esparza. Esta película estaba dedicada a los niños héroes de Chapultepec, que dieron la vida por su país durante la guerra ante los norteamericanos en 1847, una historia que todos los niños mexicanos aprenden en las escuelas. Aquí, Jorge Negrete hacía el papel de un joven cadete superviviente de aquella matanza.

Nada más acabar esta película, Jorge Negrete debía ya empezar el rodaje de la siguiente. Y esta vez era una cosa más seria. Su hermano David había conseguido que en Hollywood se fijaran en el desmesurado ritmo de trabajo que llevaba y, sobre todo, en los resultados de ese trabajo. Así que su siguiente película ya no venía de una oferta de la industria mexicana, sino de la 20th Century Fox, que le contrataba por un año. En ese momento, Jorge decidió volver a Estados Unidos, cosa que «aprovechó» para poner fin al breve y tumultuoso noviazgo que había mantenido con Elisa. Se dice que fue el mismo Jorge Negrete quien consiguió que, mientras él se iba a Hollywood, a ella la contrataran, sorpresivamente, en Nueva York, para trabajar en un espectáculo de Broadway, «*Upa y Apa*».

Pero antes, y como punto final al año, aún participó en otra película, «*Una luz en mi camino*», dirigida por José Bohr, una película benéfica que varios amigos brindaron al actor ciego Joaquín Busquets. Numerosas estrellas mexicanas participaron en aquella película documental; Jorge Negrete fue una de ellas.

## Capítulo XVII

### — La decepción de Hollywood —

Jorge Negrete se fue a Hollywood esperando que la llamada que desde allí había recibido fuera apoyada por los suficientes medios como para convertir en realidad los buenos augurios y optimistas esperanzas de los ejecutivos de la gran industria del cine que se habían fijado en él. Pero, curiosamente, no fue así. Cuando llegó a la «Meca» del cine fue recibido a bombo y platillo; se le hicieron docenas de reportajes en publicaciones importantes, se le presentó como uno de los galanes y cantantes de habla española más interesantes del momento... pero, para asombro de todo el mundo, sólo se le ofreció, a título de prueba, una primera película que, además, resultaba mediocre de entrada, y eso por decirlo de manera «suave», sin un análisis demasiado severo. Hollywood confundía (no ha sido la única vez que tal cosa ocurre) la enorme popularidad de una nueva estrella con el público que la había convertido en estrella, es decir, el mexicano, el público de habla española exclusivamente y, además, rural. Y el gran error, ese gran error de la «Meca» del cine, tan recurrente durante décadas, fue hacer que Jorge Negrete rodara una película, «*Noches de Cuba*» («*Cuban Nights*», llamada en Estados Unidos «*Rumba Rythm*»), en la que él era protagonista y Ramón Armengod compartía con él la cabecera del cartel; una película que por unos fue tachada de mala, por otros de ridícula y por algunos más de indignante. Según los productores norteamericanos, se trataba de «una fantasía latina, en la que Jorge

Negrete y su hermano (Armengod) mostraban la cara del hombre mexicano». El propio Jorge Negrete, tiempo después diría: «*Nunca sospeché que lo que estaba rodando fuese a ser lo que fue. Si lo hubiera podido imaginar, nunca hubiera hecho esa película.*» Y a causa de aquellos pésimos resultados, decidió no prorrogar su contrato y volvió a Nueva York, dejando para otra oportunidad eso de entrar en «la gran industria del cine».

De nuevo en la Gran Manzana, volvió a reencontrarse con su antigua novia, Elisa Christy. Sus problemas de relación seguían siendo los de siempre, pero existía una indudable atracción entre los dos. Elisa trabajaba en un club nocturno, el Habana-Madrid, y grande fue su sorpresa cuando una noche, al acabar su actuación, encontró a Jorge Negrete esperándola en el camerino: «He venido a invitarte a cenar... y a que hablemos.» Y reanudaron su noviazgo, hasta el punto de que decidieron vivir juntos. En aquel momento, Jorge trabaja muy cerca, en el Teatro Hispano. Inesperadamente recibe una excelente oferta para trabajar en La Habana, un contrato para actuar en la CMQ que mejoraba sensiblemente el que tenía en Nueva York. Sin pensárselo dos veces, envió su equipaje por delante, dedicó unos días a cerrar sus asuntos en la ciudad y se embarcó para Cuba, diciéndole a Elisa que acudiera allí unas semanas después, en cuanto cumpliera su compromiso con el Habana-Madrid.

## Capítulo XVIII

### — La primera visita a Cuba —

Cuando Jorge Negrete llegó a La Habana, a principios 1940, no entró con buen pie, ya que le esperaba una nada agradable sorpresa. Como decíamos, había remitido su equipaje a toda prisa desde Nueva York, sin llevarlo con él, y cuando llegó a La Habana fue a recuperarlo, para encontrarse con la desagradable sorpresa de que su baúl no había llegado, con lo que se vio, en un país extraño y ante un contrato importante, «con lo puesto».

No hubo manera de encontrar el equipaje, pero él consiguió salir del apuro gracias a un admirador, uno de los mejores sastres de La Habana, quien le ofreció hacerle un traje en un solo día, a cambio de que hiciera publicidad de su establecimiento. Al cantante no le hacía ninguna gracia semejante trato, pero no le quedó más remedio que aceptarlo. Y, de hecho, pasó un mal trago metiendo en su show esa «publicidad subliminal» de la sastrería de su «benefactor», pero lo hizo de forma amable, simpática, explicando sencillamente al público lo que le había ocurrido y que si podía estar allí, en el escenario, era gracias a ese sastre que había tenido el «detalle» de hacerle la ropa, un precioso traje de charro, en sólo unas horas. Jorge quedó bien, y el sastre, todavía mejor. Tanto, que días después le regaló otro traje, y esta vez «sin condiciones».

Jorge Negrete fue recibido en Cuba con los brazos abiertos; su éxito fue enorme desde el mismo día en que llegó, algo muy diferente de lo que le había sucedido en Hollywood, y desde luego el calor del público era mucho mayor que el que le brindaba el de Nueva York. Pocas semanas después de su llegada, Elisa Cristhy llegó a La Habana para reunirse con él. Pasaron una buena y tranquila temporada en la isla, pero el techo se tocó muy pronto. Jorge Negrete sabía que no podría llegar mucho más allá, que el mercado en Cuba era muy limitado y que en pocos meses llegaría un período de inercia. Por eso, pensaba en volver a los Estados Unidos para seguir intentando conquistar su gran meta: el enorme mercado latino de aquel país. Así, pronto se cansó de la CMQ, y llegó a un acuerdo para rescindir su contrato dos semanas antes de que expirara. Lo hizo y volvió a Estados Unidos, a Miami, para viajar desde allí a Nueva York. Elisa, de nuevo, se quedó atrás, esta vez a causa de que su visado para volver a Estados Unidos no estaba en regla y tendría que cumplir una serie de trámites que tardarían varias semanas.

Cuando él llegó a Miami, no tuvo que continuar a Nueva York, ya que encontró allí, esperándole, un contrato para actuar en el Royal Palm, uno de los locales latinos más importantes de la ciudad. Nueva York podía esperar, y Jorge Negrete aceptó la oferta. Llamó a Elisa para que acelerara los trámites, pero ésta tenía serios problemas con los papeles. Entonces el cónsul de México en Miami les propuso una solución: si se casaban, se solucionaría el asunto. Pero no tenía demasiadas ganas de casarse, aunque sí aceptó llegar con ella a un arreglo: casarse en Miami para ir luego a Nueva York y allí pedir el divorcio. Elisa aceptó el trato encantada, y el 28 de marzo de 1940 se celebraba la boda en el Ayuntamiento de la capital de Florida.

Terminado su contrato en el Royal Palm, Jorge y Elisa volvieron a Nueva York, donde ella retomó su antiguo trabajo en el Habana-Madrid y él comenzó a actuar en un local nuevo para él, La Conga, bajo la dirección del famoso director de orquesta español Xavier Cugat. Además, consiguió un contrato, gracias a que hablaba perfectamente inglés, para traducir las canciones mexicanas de moda para una editorial musical, la Southern Music, trabajo extra que le permitía vivir con mucho más desahogo, ya que le pagaban cincuenta dólares por cada canción que traducía.

Pero este trabajo no iba a durarle mucho, ya que un día el «jefe» de la Souhtern Music le dijo algo que le molestó extraordinariamente y que le hizo romper instantáneamente su contrato con aquella compañía. Jack Robbins, propietario de la editorial, tuvo el mal gusto de decirle, aunque fuera en broma, que «era mejor traductor que cantante», y Jorge Negrete se puso hecho una furia, mandando instantáneamente al infierno al sorprendido empresario. Ahí acabó su experiencia como traductor.

Entre tanto, de cuando en cuando habían empezado a surgirle contratos de pocos días en otras ciudades, lo que también fue una nueva experiencia que le facilitó «aprender a viajar» por los Estados Unidos, a conocer sus diferentes públicos, sus tendencias y sus gustos, dependiendo de dónde se encontrara. Era un universo nuevo para él. Y, entre tanto, el trato que había cerrado con su mujer en Miami, no acababa de cumplirse. Ni Jorge ni Elisa parecían tener prisa alguna por divorciarse, todo iba bien y así podían seguir.

### *Su «película de la suerte»*

Por fin la suerte, ésa que tanto había influido en momentos claves de su vida, decidió tocarle abiertamente con su varita mágica. Sin sospechar lo que iba a ocurrir, Jorge Negrete recibió en Nueva York una llamada de su hermano, que había vuelto a México tratando de buscarle nuevas posibilidades. Había surgido un contrato que parecía interesante: una nueva película (Jorge llevaba varios meses descansando del cine, después de aquel delirante año de 1938), y esta vez parecía ser una película de altura, con medios y con muy buenas perspectivas. La oferta llegó de los hermanos Rodríguez, importantes productores que habían pensado en él para protagonizar este filme, que sería dirigido por Joselito Rodríguez, con música y canciones de Manuel Esperón y con un elenco interesante: junto a Jorge Negrete estarían Gloria Marín, Carlos López «Chaflán», Víctor Manuel Mendoza, Ángel Garasa, Antonio Bravo, Evita Muñoz, Antonio Badú y Miguel Inclán.

A Jorge Negrete le pareció interesante la oferta, y además ya se había «desintoxicado» de la agotadora temporada cinematográfica de dos años antes, así que decidió aceptarla.

Jorge y Elisa regresaron a México. El destino, o la suerte, ésa que tanto influía en él, iba a cambiar por completo su vida, tanto la profesional como la personal. Esa película que se disponía a rodar no sólo iba a ser la que le abriría definitivamente el camino en el cine internacional y a gran nivel, sino que la canción que le daba título se convertiría en una de las más famosas de Jorge Negrete... y de la música mexicana en toda su historia. Y, de paso, rodando esa película Jorge iba a conocer a la que sería su auténtico primer gran amor: Gloria Marín.

Las relaciones entre Jorge y Elisa no eran malas, pero también era evidente que no estaban enamorados, que lo suyo era más un trato de simple amistad que un matrimonio. Hasta el punto de que al llegar de nuevo México ambos se fueron a vivir por separado: él a casa de sus padres y ella con su madre, que acababa de volverse a casar. Sin embargo, la situación resultaba tan chocante que finalmente decidieron vivir juntos, aunque sólo fuera por cubrir las apariencias. De cualquier forma, aquello no iba a durar mucho.

La filmación de «*¡Ay, Jalisco, no te rajes!*» comenzó el 18 de julio de 1941. Prácticamente al segundo día de rodaje, sus dos protagonistas ya se habían enamorado, y además de una forma rotunda. Jorge había quedado prendado de la joven y preciosa Gloria Marín, su «partenaire», en el mismo momento de conocerla, y a ella le ocurrió lo mismo. Así que el rodaje, al menos por parte de sus dos más importantes personajes, fue una balsa de aceite, y eso se notó en el resultado final de la película. Todo el mundo se dio cuenta de lo que ocurría entre ambos, y los productores no tardaron en poner sobre aviso a la prensa para apoyar con un cálido romance la promoción de la película. Todo México empezó a hablar de ello, sin que ni a Jorge Negrete ni a Gloria Marín les importara lo más mínimo estar en el ojo del huracán. Pero ocurría que Elisa, su mujer, casualmente, estaba embarazada, y Jorge prefirió dejar «lo del divorcio» para más adelante; como un caballero que era, no le pareció apropiado separarse de su esposa cuando estaba esperando un hijo suyo. No obstante, fue ella la que tomó la decisión: aceptó actuar en el Teatro Lírico, pese a su estado y pese a que él se lo prohibió taxativamente. La decisión de Elisa Christy provocó la ruptura final y ambos solicitaron el divorcio.

*El divorcio de Elisa*

La verdad de la relación entre Jorge Negrete y Elisa, como ha ocurrido con todas las mujeres que compartieron parte de sus vidas con El Gran Charro, no es fácil de conocer. El caso de Elisa y Jorge no ha sido nunca analizado por nadie en profundidad, sencillamente porque nadie ha podido hacerlo. Porque si alguien ha sabido guardar «de verdad» su intimidad, ese alguien fue el cantante.

Lo poco que puede deducirse del auténtico fondo de las relaciones entre ambos puede estar en las páginas de la biografía que Diana Negrete, la hija que Jorge tuvo con Elisa, escribió sobre su padre. Ese libro, llamado «*Jorge Negrete: Biografía autorizada*», publicado en 1987, arroja cierta cantidad de luz sobre lo que realmente ocurrió entre Elisa y Jorge, pero con el problema de que la autora del libro aborrecía a Gloria Marín, con lo que la fiabilidad de lo que en él se dice no puede ser absoluta en modo alguno. Diana, en su libro, se esfuerza en demostrar que la ruptura entre sus padres se debió a Gloria Marín, afirmando que su padre, en realidad, no la quiso nunca, y que su auténtico amor, tras Elisa, fue María Félix, dejando, por tanto, a Gloria, en bastante mal lugar... Pero es preciso repetir que la animosidad de Diana por Gloria Marín era grande, con lo que los comentarios incluidos en su libro pueden tomarse de dos formas: como ciertos o como meramente anecdóticos.

*Una nueva vida*

Lo cierto es que, tras divorciarse de Elisa, para él empezó una nueva vida. «*¡Ay, Jalisco, no te rajes!*» sería un éxito rotundo desde el mismo momento de su estreno, y la canción base de la película, la que se titulaba como ella, se hizo popular en todo el mundo de habla hispana en pocas semanas. En esta película, como decíamos dirigida por Joselito Rodríguez, él encarnaba el personaje de Salvador Pérez Gómez, «El Ametralladora»; Gloria Marín era Carmen Salas, Carlos López «Chaflán» hacía de sí mismo, Víctor Manuel Mendoza encarnaba a Felipe Carvajal, Ángel Garasa era «Malasuerte», Antonio Bravo era «Radilla» y Evita Muñoz «La chachita». Un buen elenco para una película que resultó divertida y agradable, ya que el director supo mezclar con habilidad los muchos ingredientes utilizados: comedia, acción, romance, venganza... y mucha música. Y supo además sacar partido del buen elenco con que contó. La historia era la siguiente: Siendo niño, los padres de Salvador (Jorge) son asesinados de forma misteriosa; años después, cuando Salvador ya es un hombre, se dedica a buscar a los asesinos y a vengar la muerte de sus padres; durante su búsqueda conoce a la linda Carmen (Gloria), y se enamora perdidamente de ella, cosa que, como dijimos, ocurría tanto en la película como en la realidad. Pero Carmen está obligada a casarse con otro hombre, Felipe Mendoza, único medio para poder salvar el rancho de su padre... Las cosas, naturalmente, se arreglarán al descubrir Salvador quién fue el principal asesino de sus padres. Fue todo un éxito. Y las canciones de la película (*«¡Ay, Jalisco, no te rajes!»*, *«Traigo un amor»* y *«Fue casualidad»*, las tres de Manuel Esperón y Ernesto Cortázar) se hicieron famosas en todo México y, poco después, en toda la América latina.

## Capítulo XIX

### — Así es un charro —

Fue a partir de «*¡Ay, Jalisco, no te rajes!*», cuando a Jorge Negrete se le empezó a considerar «El charro cantor», o «El charro del cine». Reunía en su personalidad, en su pose, en su carácter y en su fuerza vital todos los ingredientes que un mexicano le pide a un personaje como el «charro mexicano», que es exactamente lo mismo, tópico por tópico, que el «cowboy yanki» o el «torero español».

El charro es el hombre del campo, el hombre que vive en contacto con la naturaleza, con los animales, que sabe entender a la una y a los otros, y que en ese contacto adquiere la dureza de cuerpo y carácter y la pureza de corazón que la vida ruda y el contacto con lo puro ofrece al ser humano. Y a partir de ese momento, a Jorge Negrete se le empezó a forjar la personalidad del «charro perfecto». Era lo que el público quería y lo que el cine y el mercado se apresuraron a darle.

De momento, ya era la máxima figura del cine en su país, pero aún le quedaba conseguir eso que perseguía con tanto ahínco: el reconocimiento en Estados Unidos.

Poco más tarde, en el mes de noviembre de aquel año de 1941, Jorge y Gloria comienzan el rodaje de otra película, «*Seda, sangre y sol*», esta vez producida por José Luis Calderón y dirigida por Fernando A. Rivero. Ante el éxito de las canciones de la película anterior, la música y las canciones principales se encargaron de nuevo a Manuel

Esperón y Ernesto Cortázar, aunque en este caso había también canciones de Pedro Galindo. La película era una versión de «*Sangre y arena*» (*«Blood and sand»*). Jorge encarnaba a un torero, José Molina «El Temerario», y Pepe Ortiz era Rodrigo Rangel, su máximo rival. Gloria, en este caso, hacía el papel de Rosario Gómez, la mujer en discordia entre ambos.

También esta vez, y como ya sucedería en adelante, las canciones de la película se hicieron muy populares: «*Toro bonito*», «*Cállate corazón*» y «*Cuando canta el corazón*» se convirtieron en nuevos éxitos para Jorge.

Durante el rodaje de esta película, en el mes de noviembre, se dictó la sentencia del divorcio de Jorge y Elisa, con lo que el primero quedaba definitivamente libre y su relación con Gloria se formalizó oficialmente ante el mundo.

La vida privada de Jorge Negrete cambió de la noche a la mañana, pero su vida profesional seguía el mismo ritmo frenético de siempre. El 16 de febrero de 1942 inicia el rodaje de su siguiente película, «*Cuando viajan las estrellas*», dirigida por Alberto Gout y con Raquel Rojas, Ángel Garasa, Domingo Soler y Consuelo Guerrero de Luna en los principales papeles. Se trataba de una comedia ranchera que contaba cómo una bella actriz de Hollywood (Raquel Rojas), viajando por México acompañada de un viejo profesor de baile flamenco (Ángel Garasa, con un gracioso papel como Niceto Perea, «El niño de Jerez») para aprender a bailar, conoce a un simpático ranchero (Negrete) del que rápidamente se enamora. Tres canciones de esta película, de Manuel Esperón, consiguieron una rápida popularidad: «*Por amor a una mujer*», «*A tus pies*» y «*Ven*». En esta película hubo algunos problemas con la censura, debido a determinados planos «muy cercanos al desnudo» y alguna que otra escena tórrida entre los dos principales protagonistas.

## Capítulo XX

### — Su primera hija, Diana —

Mientras rodaba esta película, el 5 de marzo de 1942 Jorge Negrete acudió al estreno de «*¡Ay, Jalisco, no te rajes!*», que esa noche se estrenaba en el cine Alameda de la capital mexicana. Fue allí donde se enteró, al comunicárselo al público el presentador de la gala, de que acababa de ser padre de una niña. Y entre los aplausos del público abandonó la sala para ir al hospital a conocer a su hija. Días después sería bautizada con el nombre de Diana, y sería la única hija de Jorge (los demás fueron varones), además de su preferida.

En 1942 Jorge Negrete retomó aquel infernal ritmo cinematográfico que había vivido en 1938; a lo largo de ese año aún haría otras cuatro películas.

La primera fue «*Historia de un gran amor*», dirigida por Julio Bracho y con Domingo Soler, Gloria Marín, Sara García y Julio Villarreal en los papeles estelares. La película era la traslación al cine de la novela de Pedro Antonio de Alarcón «*El niño de la bola*», adaptada por el propio Julio Bracho, que la convirtió en un melodrama que se desarrollaba en México, en el siglo XIX. Negrete era huérfano y pobre, lo que no le impidió enamorarse de la bella Soledad (Gloria Marín). Pero el padre de ésta se opone firmemente a la boda, y la cosa no acaba demasiado bien. Quizá por ello la película no obtuvo el éxito de otras anteriores. Sin embargo, con ella Jorge Negrete obtuvo el premio «Presidente de la

República» de la Academia de Ciencias y Artes, algo así como el «Oscar» mexicano.

Su siguiente película iba a llamarse «*La Lupe se va del rancho*», pero finalmente se tituló «*Así se quiere en Jalisco*», y fue dirigida por Fernando de Fuentes. Junto a Jorge Negrete, en esta película estaban María Elena Marqués, Carlos López Moctezuma y Florencio Castelló; era otro melodrama ranchero, esta vez con mucha música, aunque con un guión no demasiado brillante. Sin embargo, varias de las canciones de la película funcionaron muy bien, como por ejemplo «*Así se quiere en Jalisco*», «*Serenata*» o «*Coplas del Tata*», esta última del ya insustituible Manuel Esperón. El cine, en realidad, era para Jorge un vehículo inmejorable para su música; por entonces, lógicamente, la industria discográfica estaba aún casi en pañales, y la inmensa mayoría de su público no tenía acceso a sus grabaciones, viéndose limitado a escuchar al Gran Charro en las salas de cine. Y Jorge Negrete, por entonces, era ya tan gran estrella de la pantalla como estrella de canción, y las ventas de sus discos eran cada vez más importantes.

## Capítulo XXI

### — María Félix: un frustrante primer encuentro —

En la siguiente película, «*El peñón de las ánimas*», se produce una novedad: por primera vez, con Jorge aparecen tres amigos que desde mucho tiempo atrás solían acompañarle en directo, pero que nunca habían tocado junto a él en la pantalla: el Trío Calaveras, que gracias a ser «el trío oficial» del cantante alcanzaría fama mundial, y continuaría muchos años después de la muerte de éste siendo una de las formaciones más importantes e influyentes de la música mexicana. Y un segundo dato clave: fue la primera vez que Jorge Negrete compartió su trabajo en el cine con la mujer que años más tarde sería su último gran amor: María de los Ángeles Félix. Pero eso sería años después, porque en este primer encuentro entre ambos no surgió precisamente un gran idilio, sino, muy al contrario, una pertinaz animosidad que iba a durar toda una década, hasta 1952. Durante el rodaje, María pidió a Jorge Negrete que le firmara el libreto, pero éste se negó a darle ese autógrafo. No la soportaba.

«*El peñón de las ánimas*» fue dirigida por Miguel Zacarías, con María Félix, René Cardona, Carlos López Moctezuma y Miguel Ángel Férriz en los papeles principales. Narraba la historia de un amor imposible entre dos jóvenes, cuyas familias estaban enfrentadas. Una especie de versión mexicana de «Romeo y Julieta». En esta ocasión fueron cuatro canciones de Manuel Esperón y Ernesto Cortázar, «*El mexicano*», «*Cocula*», «*Mujer, abre tu ventana»* y «*Esos altos de Jalisco»* las que consiguieron una rápida popularidad.

«*Tierra de pasiones»* fue la siguiente película; en esta ocasión era José Benavides Jr. quien lo dirigía, y Jorge Negrete compartía el cartel con Margarita Mora, Carlos Orellana, José Baviera y Pedro Armendáriz. Era un melodrama rural que se rodó en el istmo de Teotihuacán, y en el que se contaba la historia de un joven que vuelve a su pueblo para vengar la muerte de su padre a manos del cacique local. En esta película, Jorge Negrete hacía los dos papeles: el del padre y el del hijo. De nuevo, el Trío Calaveras fue su grupo de acompañamiento, como lo sería ya en adelante de forma casi permanente.

«*Fiesta» («El rancho de las flores»)* fue, más que una película, una breve comedia musical, dirigida por Leroy Prinz y producida por el legendario Hal Roach, pensada exclusivamente para el mercado norteamericano como un producto exótico. Duraba sólo cuarenta y tres minutos, y era un puro musical-documental para presentar a los norteamericanos un nuevo posible producto de consumo a gran escala. Con esta última película, Jorge Negrete cerró 1942, otro año muy movido en su carrera, y también muy productivo.

### *Carole Lombard, un posible amor truncado*

Fue precisamente durante el rodaje de «*Fiesta»*, en California, cuando Jorge Negrete conoció a una mujer que pudo haber llegado a ser uno de sus grandes amores, pero que por circunstancias de la vida se quedó en un hermoso recuerdo. Aquella mujer fue Carole Lombard, la gran estrella norteamericana que en esa época era una de las grandes divas de su país, y que él conoció en los estudios mientras rodaba esa película. Carole causó en Jorge Negrete una inmediata impresión, hasta el punto de que El Gran Charro se puso inmediatamente a hacer algo que nunca antes había hecho: escribir un guión y componer canciones para ella, o mejor, suponemos, para una película que él quería haber hecho con ella. Pero Carole Lombard murió en accidente antes de que ese proyecto pudiera realizarse, lo que para Jorge Negrete fue un duro golpe, hasta el punto de que «enterró» ese guión y esas canciones, que nunca llegaron a ver la luz. Él mismo contó así aquella experiencia, que pudo haber supuesto un radical cambio en su vida si la tragedia no se hubiera interpuesto entre ambos:

*«Conocí a Carole Lombard en los estudios de Hal Roach, cuando filmaba "Fiesta". Nunca en mi vida he encontrado otra mujer más exquisita y sensible... Trabamos una amistad sincera y me fue posible conocerla en sus mejores matices de encanto, grandeza y dulzura. En homenaje a esa joven admirable, escribí un argumento para ella. Se llamaba "Drums Over Habana". Compuse la música y la letra de las canciones que incluía el filme. Sobrevino la tragedia cuando todo estaba listo para comenzar el rodaje...».*

## Capítulo XXII

### — 1943: América a sus pies —

Comienza 1943, año que será decisivo para el «despegue» mundial de Jorge Negrete. Ya es una estrella en todo el mundo de habla castellana, pero esa estrella, a partir de ahora, adquirirá aún más brillo.

La primera película que Jorge Negrete rueda este año es «*El jorobado (Enrique de Lagardere)*», basada en la novela de Paul Feval y adaptada a la pantalla por Óscar Dáncigers y Jaime Salvador. La película fue dirigida por Jaime Salvador, y en la cabecera del cartel estaban, junto a Jorge, Gloria Marín, Adriana Lamar, Ángel Garasa, Ernesto Alonso y Andrés Soler. La historia de capa y espada, la primera de este tipo que rodaba el mexicano, tuvo un éxito considerable, lo mismo que algunas canciones incluidas en la película, aunque no quedaba demasiado claro qué pintaban temas mexicanos en una historia francesa del siglo XVIII... En todo caso, dos temas de los imprescindibles Manuel Esperón y Ernesto Cortázar, «*Mi acero, mi orgullo es*» y «*En una noche sombría*», se hicieron rápidamente populares.

Vino luego «*Una carta de amor*» (película que en principio iba a titularse «*Aquella carta de amor*»), dirigida por Miguel Zacarías y con Gloria Marín de nuevo, además de Andrés Soler, Mimí Derba y Emma Roldán en los principales papeles. El Trío Calaveras volvía a estar tras Jorge Negrete, y un par de canciones de las varias que la película incluía consiguieron el habitual éxito: «*Una carta de amor*» y «*Cuadrilla de compadres*», ambas, por supuesto, de Esperón y Cortázar. La película era un melodrama que contaba cómo, en tiempos del emperador Maximiliano, una carta es encontrada en la chaqueta de un jefe liberal, presumiblemente juarista, que va a ser ejecutado por los franceses. Lo que dice esa carta, la historia de una joven que es obligada a casarse con un coronel del ejército del emperador, se cuenta en sucesivos *flash-backs* con agilidad, dando como resultado un filme interesante que dejó buen sabor de boca en el cada vez más numeroso público de Jorge Negrete.

En este año de 1943, Jorge Negrete rodaría aún otra película, antes de comenzar una gran gira que le convertiría en el mayor ídolo de la América latina. Esa película fue «*El rebelde (Romance de antaño)*», dirigida por Jaime Salvador y con María Elena Marqués, Julio Villarreal, Federico Peñeiro y Miguel Ángel Férriz en los principales papeles. El productor, Óscar Dáncigers, decidió no incluir a Gloria Marín en la película, ya que en su opinión, como en la de otros muchos productores y directores, la pareja estaba ya «muy vista». Así pues, pese a la insistencia de Jorge Negrete, Dáncigers contrató a María Elena Marqués. Él se disgustó, pero el considerable sueldo que le pagaban, 30.000 pesos (el más alto cobrado por el cantante hasta la fecha), le obligó a aceptar.

Esta película encerraba una curiosidad muy especial: una de sus canciones, «*Goyescas*», con música de Enrique Granados, llevaba letra de Octavio Paz (ayudado por Ernesto Cortázar), la única letra de canción que el celebérrimo escritor y diplomático mexicano, Premio Cervantes en 1981 y Nobel de Literatura en 1990, escribió en su vida. Y lo hizo por su amistad con Jorge, a quien admiraba desde mucho tiempo atrás. Pero fueron las canciones de Manuel Esperón, como siempre, las que mayor popularidad alcanzaron: «*Romanza de amor*», «*Mi gitana*» y «*La canción del bandido*». Fue otro melodrama ranchero con venganzas y amor a raudales, género que funcionaba perfectamente entre el público de Jorge, y al que más fácil resultaba adaptar distintas canciones.

### *La conquista de Cuba*

Tras rodar «*El rebelde*», Jorge recibe una importante oferta desde Cuba. La Cadena Azul le ofrece un contrato para cantar en sus emisoras en Cuba, en una operación conjunta con el Teatro Nacional, y Jorge Negrete no duda un momento en aceptar la atractiva propuesta. Por entonces ya era una superestrella en la isla, muy al contrario de lo que ocurrió en su primera visita, cuando era un perfecto desconocido. Pero en 1943 sus películas y sus discos le habían convertido en el máximo ídolo de la música y el cine de habla castellana.

El recibimiento que se le tributó fue espectacular. En el aeropuerto le esperaban miles de personas, una auténtica manifestación de seguidores (y sobre todo seguidoras) que querían acercarse a él, verle en vivo y, si fuera posible, tocarle. Según cronistas de la época, nunca en La Habana se había deparado a nadie un recibimiento tan entusiasta. La policía se vio impotente para controlar a la gran masa de fanáticos admiradores que se agolpaban en el aeropuerto, y Jorge Negrete estuvo a punto de salir de allí en paños menores. No podía siquiera defenderse de los cariñosos ataques, ya que pocos días antes había sufrido una caída y llevaba el brazo izquierdo vendado, con lo que sólo le quedaba el derecho como barrera ante las frenéticas *fans* que parecían querer, literalmente, «comérselo».

Más tarde, las autoridades de todos los estamentos del país, desde la política a la cultura y el espectáculo, le rindieron los máximos honores. Hasta el presidente Grau San Martín fue al Teatro Nacional para conocerle personalmente y felicitarle por su éxito. Jorge Negrete, que seguía siendo capitán del Ejército mexicano, aunque en excedencia, fue homenajeado incluso por los militares cubanos. Llegó a visitar cuarteles vestido con su uniforme de capitán.

Día y noche era perseguido, allá donde fuera, por una legión de seguidoras que no cejaban en su empeño de poder acercarse a él. Un periódico cubano publicó una simpática anécdota: una noche que estaba en el camerino del teatro, esperando la hora de comenzar el espectáculo, escuchó a una mujer que le gritaba desde la calle: «¡Jorgito, chico, por tu madre, acaba de salir porque "me va a botá" mi marido si llego tarde!»... Asomándose a la ventana, Jorge le dijo: «No puedo salir todavía, negra chula, pero aquí me tienes, para que te puedas ir y no te pegue tu marido...». La mulatita se marchó entusiasmada, cubriendo de piropos a su ídolo.

Tras dos semanas de actuar en el Teatro Nacional y la Cadena Azul, en el programa más famoso de la isla, con un éxito total, Jorge Negrete y el Trío Calaveras, que le acompañaba en la gira, se fueron a Puerto Rico para cumplir un contrato en uno de los hoteles más lujosos de la ciudad. El contrato, para la época, era fabuloso, tan importante como los que ofrecían los mejores hoteles norteamericanos, a razón de mil dólares diarios (que en la época eran una suma exorbitante). Pero a los diez días de llegar, Cuba fue asolada por un enorme huracán, y Jorge Negrete decidió volver inmediatamente a La Habana para prestar su ayuda en lo posible y estar junto a sus amigos cubanos, a los que había tomado un enorme cariño en reciprocidad por el que de ellos recibía. Así que rescindió su contrato con el hotel renunciando a los enormes beneficios que obtenía; aunque en principio a la empresa le sentó muy mal, acabó entendiendo las razones del cantante y permitió la ruptura del contrato sin recurrir a los tribunales, como fue su primera intención.

Jorge Negrete regresó a Cuba para organizar una gran función benéfica, cuyos fondos irían para ayuda de los damnificados por la catástrofe. Aquella función obtuvo el mismo éxito de siempre, y consiguió incluso que el distribuidor de su última película, «*El rebelde*», Vicente Bernales, la cediera gratuitamente para ser proyectada en aquella gala, a la que también acudieron como invitados varios de los más importantes artistas de la isla, como «Bola de Nieve», Fernando Fernández, Chela Campos o Vitola.

Con aquel gesto, se ganó de los cubanos un cariño aún mayor que el que ya le tenían. Y durante muchos años sería el mayor ídolo para las gentes de la «Perla del Caribe».

## Capítulo XXIII
### — Guadalajara en un llano, México en una laguna... «Me he de comer esa tuna» —

En 1944 iba a llegar otra de sus películas más importantes. Pero antes de «*Me he de comer esa tuna*», Jorge Negrete rodó otra película «*Cuando quiere un mexicano (La gauchita y el charro)*», que dirigió Juan Bustillo Oro y que tenía en el cartel a Amanda Ledesma, Enrique Herrera, Berta Lehar y Vicente Padula. De nuevo el Trío Calaveras y las canciones del imprescindible Esperón consiguieron que varios temas de la película se hicieran populares: «*Como caído del cielo*» (a dúo con Amanda Lesdesma), «*Cuando quiere un mexicano*», «*Sueño*» y «*Despierta*» pasaron a ser nuevos triunfos del Gran Charro. La película era otra comedia ranchera, al uso de siempre, con sus infaltables dosis de amor y lujo, un guión amable y simpático que dio unos excelentes resultados comerciales.

Pero fue su siguiente película, «*Me he de comer esa tuna*», el que se convirtió en el mayor éxito de Jorge Negrete desde «*¡Ay, Jalisco, no te rajes!*». Lo dirigió Miguel Zacarías, autor además del guión, con música y canciones de Esperón y Cortázar, y con María Elena Marqués, Enrique Herrera, Antonio Badú, Mimí Derba, Armando Soto la Marina «El Chicote» y Alfonso Bedoya en los papeles principales. El indefectible Trío Calaveras colaboró a que cinco canciones de la película se hicieran extraordinariamente populares en muy poco tiempo, como la película en general: «*Me he de comer esa tuna*», «*Un tequila con limón*», «*Dicen por ahí*», «*El charro mexicano*» y «*El* *día que me quieras»*, cuya letra eran unos versos de Amado Nervo, fueron esas canciones.

La película, una comedia ranchera, era simpática, alegre y divertida, cargada de humor. Dos amigos apuestan quién de los dos conseguirá conquistar a una preciosa chica (María Elena Márquez) a la que ninguno de los dos conoce. Para ello, ambos amigos se hacen toda clase de jugarretas, se ponen trampas, todo ello de forma divertida y graciosa. Un viejo cura, sencillo y bonachón (Domingo «El Becerro», interpretado por el magnífico Enrique Herrera), participará sin saberlo en las correrías de los dos amigos.

La película obtuvo un enorme éxito, y Jorge Negrete actuó en esa ocasión con mucha más naturalidad que nunca, sin ese aire de macho mexicano conquistador que todos los directores trataban siempre de imprimirle.

### *«El Chicote»*

Es éste un buen momento para recordar a Armando Soto La Marina, «El Chicote», un hombre que se ganó el espacio que hoy ocupa en la historia del cine mexicano, y quien acabaría convirtiéndose en un personaje casi imprescindible en las películas de Jorge Negrete, especialmente en aquellas que contenían humor, amor y optimismo, es decir, en las películas de mayor éxito de El Gran Charro. Armando Soto La Marina, «El Chicote», llegó a lo largo de su vida a hacer alrededor de 240 películas, y es el actor mexicano con mayor filmografía en la historia del cine de su país. Con Jorge Negrete llegó a rodar once películas, y otras nueve con Pedro Infante. Fue uno de los actores más famosos de México y, entre el público latinoamericano, uno de los más populares en Estados Unidos, y sin embargo, cosas del destino, moriría pobre y casi olvidado... «El Chicote» nació el 1 de octubre de 1909. Fue novillero antes de iniciarse como extra de cine, para ser poco después «descubierto» por Mario Moreno, «Cantinflas», quien le contrató para participar en sus espectáculos en directo. Su debut en el cine como actor secundario se produjo con Jorge Negrete en «*Juan sin miedo*», película que sin duda cambió su vida, ya que a partir de ahí se convertiría en uno de los secundarios más solicitados de México.

«El Chicote» murió el 20 de marzo de 1983 en la ciudad de México, a los setenta y cuatro años de edad, de un ataque al corazón. Tuvo ocho hijos y cuatro esposas, la última de las cuales fue Salud Carrillo Soto La Marina, quien cuenta que la gran frustración de «El Chicote» fue el no haber podido, a lo largo de toda su extensa carrera, haber hecho algún papel dramático, viéndose siempre ceñido a sus roles de cómico. Una de sus hijas, Isabel, «La Chicotita», llegó a ser una cantante muy popular. «El Chicote» llegó a convertirse en un personaje clave en las películas de mayor éxito de Jorge Negrete y de Pedro Infante. Su simple presencia en el reparto casi garantizaba que la película sería un éxito comercial...

### *«No basta ser charro»*

Entre 1945 y 1946 Jorge Negrete visitó varios países sudamericanos a la vez que, en los intervalos, rodaba siete películas más, dos de ellas de enorme éxito, como ahora veremos.

La primera de las películas que hizo en 1945 se rodó en Venezuela, y fue «*Canaima (El dios del mal)*», basada en la novela del venezolano Rómulo Gallegos. La música, como siempre, de Esperón, pero esta vez las canciones brillaban por su ausencia, lo mismo que el Trío Calaveras, que no acompañó a Jorge Negrete en su viaje. En esta ocasión no se trataba de un melodrama o una comedia ranchera; ahora había más exotismo, más profundidad en el tema. Gloria Marín, Rosario Granados, Alfredo Varela Jr., Carlos López Moctezuma y Bernardo Sancristóbal encabezaban el reparto para contar la historia de un joven que vuelve a Ciudad Bolívar tras terminar sus estudios en Caracas. Una historia en la que se mezclaban ambientes «civilizados» con la vida de la jungla. El equipo de rodaje lo pasó mal recorriendo las junglas de la Guayana.

Tras esta película, el mexicano retornó a su ambiente habitual para rodar «*Hasta que perdió Jalisco*», dirigida por Fernando de Fuentes, donde de nuevo las canciones tenían un papel principal, cosa que no había ocurrido en el atípico trabajo anterior. De nuevo varias de las canciones que Esperón y Cortázar aportaron se hicieron populares, temas como *«Aquí viene Jorge Torres»*, *«Cocula»*, *«Ilusión de mi vida»* o *«Hasta que perdió Jalisco»*. De nuevo una comedia simpática y agradable para su público de siempre, y con los resultados de siempre.

Pero aún faltaban dos películas más en aquel año de 1945. La primera de ellas iba a convertirse en otro de los mayores éxitos comerciales de la carrera cinematográfica del cantante: *«No basta ser charro»*. Dirigida por Juan Bustillo Oro (uno de los realizadores que mejor comprendían el carácter de Jorge Negrete y que mejor sabían qué era lo que su público quería ver), la cabecera del cartel estaba en esta ocasión formada por Lilia Michel, Lupe Inclán, Antonio R. Frausto, Armando Soto La Marina «El Chicote», Salvador Quiroz... y David Negrete, que hacía un pequeño papel.

Esta película fue una de las comedias más simpáticas, agradables y, por tanto, taquilleras de toda la carrera del astro mexicano. Aquí hace de nuevo dos papeles, interpretando a dos personajes idénticos: uno es él mismo, el cantante Jorge Negrete, y el otro es un charro idéntico a él, a quien una guapa mujer confunde con el propio Jorge y se dedica a conquistarlo. La actriz que encarnaba al personaje de la muchacha protagonista era una nueva estrella emergente del cine mexicano, la preciosa Lilia Michel, que ya había conseguido una incipiente fama, pero que gracias a esta obra se convirtió definitivamente en una gran figura en toda Latinoamérica. Y el otro excelente actor que con esta película consiguió llegar a su cima particular fue Armando Soto la Marina, «El Chicote», el excelente actor cómico que esta vez encarnaba al simpático vaquero amigo del charro protagonista. Aunque ya había trabajado en otras películas de Jorge, y trabajaría en muchas más, hasta el punto de convertirse en un compañero casi inseparable, con ésta «El Chicote» aumentó considerablemente su ya enorme popularidad.

La crítica dijo que ésta era no sólo una de las mejores películas de Jorge Negrete, sino una de las mejores hechas hasta entonces en México, cosa con la que el público estuvo completamente de acuerdo. Y lógicamente, las canciones que Esperón compuso para esta película consiguieron una enorme popularidad. Había música y había variedad; además del Trío Calaveras, otros dos grandes tríos mexicanos tuvieron esta vez su oportunidad de lucirse: el Trío Ruiz Armengod y el Trío Ascensio-del Río. Y en cuanto a las canciones, fueron «*El charro mexicano*», «*Chaparrita cuerpo de uva*» y «*Amor de mi amor*» las que se hicieron instantáneamente populares.

La última película de Jorge en 1945 fue «*Camino de Sacramento*», cuyo guión se inspiraba en una película norteamericana de 1941 protagonizada por Douglas Fairbanks Jr., «*The corsican brothers (Los hermanos corsos)*», basada a su vez en la novela de Alejandro Dumas. Situada en el siglo XIX en California, de nuevo Jorge Negrete interpreta un doble papel, el de un noble español educado en Sevilla y el de un moderno Robin Hood, un bandido amable y bondadoso, dos hermanos gemelos que nacieron siameses y fueron separados al nacer. Rosario Granados, Julio Villarreal, Pepe Martínez y Ernesto Cortázar eran esta vez sus principales compañeros de reparto. Y un dato curioso: las canciones, esta vez, eran del propio Jorge Negrete con letras de Ernesto Cortázar. Faltaba el indefectible Esperón.

## Capítulo XXIV

### — Un año que empieza mal… —

El año 1946 iba a ser muy movido; Jorge Negrete iba a realizar una gira por varios países sudamericanos, además de rodar otras tres películas.

En enero, antes de lanzarse a la gran gira americana que le esperaba, inició el rodaje de una nueva película, «*En tiempos de las Inquisición*», dirigida por Juan Bustillo Oro, basada en la obra «*La sorciere (La hechicera)*», de Victorien Sardou, y adaptada al cine por el propio director. De nuevo Gloria Marín compartía la cabecera de cartel con Jorge Negrete, y estaban además Beatriz Aguirre, Miguel Arenas, Maruja Grifell, Francisco Regueira y Salvador Quiroz. Era un melodrama histórico situado en la España del siglo XVI, en el que Gloria hacía el papel de una bella morisca, Zoraya. Un papel que había sido escrito originariamente en 1903 para la genial actriz Sara Bernhardt, y que ya se había convertido en película muchos años antes en Estados Unidos, en 1916, con el título de «*The witch*», película en la que la heroína había sido convertida en una mujer mexicana perseguida durante la época de la Revolución. No fue una mala película, pero tampoco era de las que entusiasmaban a los eternos seguidores del actor. La crítica calificó la música de «lamentable» (y eso que era de Manuel Esperón), y a Jorge Negrete se le juzgó con bastante dureza: no le cuadraba el papel, todo era demasiado teatral y todo resultaba demasiado falso… No fue, en suma, un buen comienzo de año para el cantante.

Una segunda película, «*El ahijado de la muerte*», que rodó en el mes de marzo, fue todo un esfuerzo para superar el gran bache sufrido con la anterior. Norman Foster fue el director, y se buscaron actores muy diferentes para tratar de hacer olvidar el reciente fiasco. Rita Conde, Leopoldo «Chato» Ortín, Emma Roldán y Tito Junco abrían el reparto de esta película de aventuras que tampoco consiguió grandes resultados, pese a que de nuevo algunas de sus canciones consiguieron popularizarse: «*El ahijado de la muerte*», «*Al diablo con las mujeres*» o «*Canción vaquera*», todas ellas, por supuesto, de Manuel Esperón y Ernesto Cortázar, vinieron a cubrir el espacio que los seguidores destinaban en sus corazones cada cierto tiempo a las nuevas canciones del Gran Charro.

Pese a que la película no consiguió grandes resultados, a Jorge Negrete sí le gustó. Él la vió así: «*La muerte es un personaje bastante cinematográfico. Maeterelinck la llamó "La intrusa"; Casona, "La dama del Alba"; sin embargo, de todos los filmes en torno a este tema no olvido "La carreta fantasma", que hiciera Louis Jouvet. Ahora Norman Foster, el director, ha dado un aspecto nuevo y muy atractivo a este lúgubre personaje... La Muerte desea ser la madrina del chamaco, hijo del Chato Ortín. "Soy la Muerte", dice, "y quiero ser la madrina de tu hijo. Le cuidaré y les avisaré anticipadamente cuando me lo vaya a llevar...". Y el Chato Ortín, pensando filosóficamente en que es mejor tener a la Muerte de amiga y no de enemiga, accede a que sea mi madrina...*».

## Capítulo XXV

### — ... y acaba bien: la arrolladora gira por Sudamérica —

Pero esa gira sudamericana que llevaba tanto tiempo preparándose era ya insoslayable; en Chile, en Argentina o en Perú, Jorge Negrete era una superestrella desde hacía años, y en estos países se reclamaba cada vez más insistentemente su presencia. Llegó el momento en que no pudo seguir posponiendo esa gira, que no le hacía demasiada gracia porque se presentaba demasiado «agobiante», pero que era imprescindible para tener contenta a una legión de seguidores que cada día se volcaban más con él, comprando sus discos y llenando las salas de cine en las que se proyectaban sus películas. Jorge Negrete no tenía más que una idea aproximada del cariño que toda Sudamérica sentía por su persona, pero iba a comprobarlo de inmediato. Así, pospuso un par de compromisos cinematográficos y decidió dedicar unos meses a viajar. Su gran gira sudamericana empezaba.

La gira comenzó en Buenos Aires, en junio de 1946. Allí recibió una acogida aún más cálida y multitudinaria que la que le había brindado Cuba. Acudió a la capital argentina contratado por el Teatro Broadway y la principal emisora del país, Radio Belgrano. Como ya había sucedido en La Habana, el recibimiento que los bonaerenses le depararon fue impresionante. Una inmensa masa de admiradores se agolpaban a todo lo largo del recorrido entre el aeropuerto y la ciudad, que la comitiva tardó horas en cubrir, y en las puertas de Radio Belgrano se formó una auténtica manifestación a su llegada. Allí Jorge Negrete, impresionado por la acogida, gritó: «*¡Viva esta bendita tierra argentina!*», y entonces ya fue el delirio.

Jorge Negrete tuvo en Argentina muchos problemas con la legión de admiradoras que apenas le dejaba respirar. Varias veces hubo que suspender alguna actuación en el teatro a causa de los tumultos que se organizaban. Él mismo contaba así a un periodista argentino su tumultuosa experiencia tras una de esas suspensiones: «*No pude seguir en el teatro. Me tiraban del pelo, hasta me rasguñaban en el entusiasmo de acercarse... ¡Tengo tres trajes arruinados, que debo reemplazar antes de seguir viaje!*»...

Actuó en Buenos Aires durante tres semanas, con un éxito sin precedentes, y le ofrecieron prorrogar su contrato por tres o cuatro semanas más, pero no aceptó porque le esperaban en Chile y, como era su costumbre, salvo en caso de fuerza mayor (como ocurrió con el huracán de Cuba), quería cumplir estrictamente sus compromisos.

Así, Jorge y el Trío Calaveras se fueron directamente de Buenos Aires a Santiago de Chile, adonde llegaron el 2 de julio de 1946 para recibir una acogida tan calurosa e impresionante como en Buenos Aires. Más de tres mil personas se agolparon en la estación Mapocho, de la capital chilena, para recibir al mexicano, que esta vez decidió hacer el viaje en tren. Llegó a las tres de la tarde, y la estación era una casa de locos; docenas de policías trataban de establecer cordones de seguridad, pero la cosa no era fácil. Consiguieron abrir un «camino» desde el punto en que iba a detenerse el vagón que traía a la estrella hasta el lugar en el exterior donde le esperaría un coche, un descapotable pintorescamente engalanado con la bandera mexicana, colgantes y sarapes, y provisto además de micrófono y altavoces para que pudiera saludar a distancia a su enfervorizado público.

Pero cuanto el tren llegó, todos los esfuerzos de la policía se demostraron inútiles. Los cordones de seguridad fueron barridos, y el «camino» abierto desapareció.

Cuando Jorge Negrete apareció en la puerta del vagón, estalló el delirio. No había manera de que pudiera bajar, y todos se preguntaban cómo iba a hacer para poder salir de allí. Así que él y sus acompañantes determinaron bajar del tren y tratar de llegar hasta la puerta a empujones, porque no existía otro medio. El tumulto se hizo peligroso, y algunas personas fueron atropelladas y pisoteadas, pero Jorge Negrete y sus acompañantes consiguieron llegar al coche, mientras dentro de la estación una barandilla del segundo piso era violentamente arrancada por la presión de la gente y más de treinta personas cayeron desde esa altura al suelo. Hubo dos muertos y numerosos heridos.

Cuando por fin llegó al coche, lo primero que hizo fue utilizar el micrófono que le habían instalado, y lo hizo para pedir disculpas: «*A quienes hayan podido sufrir algún accidente por mi causa les pido mil disculpas.*» Luego gritó: «*¡Viva Chile!*», y el auto emprendió la marcha seguido por una multitud vociferante que tenía la intención de acompañarle durante todo el recorrido. Y así ocurrió en el trayecto hasta el Hotel Carrera, donde otro millar de personas estaba aguardando su llegada. Finalmente, consiguió entrar en el hotel.

Jorge Negrete llegó a Chile el mismo día en que moría el presidente de la República, Juan Antonio Ríos. Ello hizo que se decretara una semana de luto nacional, por lo que el debut del cantante hubo de aplazarse, y éste permaneció esos días casi recluido. La muerte de las dos personas ocurrida durante el tumulto en la estación le había amargado la llegada, pero esa semana de inactividad le permitió rehacerse. Finalmente, se actuación en el Teatro Baquedano se llevó a cabo con el éxito previsto.

## Capítulo XXVI

### — Perú: un debut accidentado —

Tras abandonar Santiago, el mexicano llegó a la capital peruana, donde fue recibido de idéntica forma que en Argentina y Chile. No en vano era la mayor estrella de todo el continente sudamericano. Sin embargo, allí vivió un incidente realmente curioso. Cuando debutó en el teatro, era tal el tumulto para entrar que el público de las localidades caras, el del patio de butacas, se sintió tan molesto con la debacle organizada en la puerta que, de forma evidentemente injusta, se puso en contra del artista, quien no llegaba a comprender lo que sucedía. Mientras los espectadores de los pisos superiores literalmente «se pegaban» por llegar a sus asientos, quienes ocupaban las localidades de abajo estaban indignados. Así, cuando Jorge Negrete y el Trío Calaveras salieron al escenario, hubo una curiosa división de opiniones: parte del publico aplaudía y otra parte silbaba y organizaba una bronca fenomenal. Se había extendido el rumor de que se habían vendido más entradas de las que realmente admitía el aforo, y unos y otros, los que tenían entradas caras y los de las localidades más baratas, culpaban directa o indirectamente al cantante, con lo que la bronca se iba haciendo mayor por momentos. Tan singular situación hizo que, antes de comenzar su actuación, el cantante se dirigiera al público para decirle:

*«Señoras y señores: nosotros somos unos artistas mexicanos que no hemos venido aquí por el interés de ganar plata... Lo único que desea-*

*mos es que ustedes estén contentos, y para eso venimos a cantarles con todo el corazón. Así pues, suplico a las personas que están en las plateas que se pongan cómodas; quítense los zapatos, hagan lo que quieran, pero siéntense en confianza. Se lo digo de corazón...»*.

No obstante, la hostilidad del público siguió como antes, y el griterío, silbidos y pateos impedían que comenzara el concierto. Los de abajo insultaban a los de arriba, y los de arriba, a los de abajo. Caían desde las plateas todo tipo de objetos sobre las cabezas del público de las localidades caras, y la cosa tomaba mal cariz, así que Jorge Negrete volvió a dirigirse al público, decidido a apaciguarlo. Dirigiéndose a los ocupantes de los pisos superiores, dijo: *«Ustedes son mis amigos, y yo soy de ustedes, del "gallinero". Y para ustedes voy a cantar, pues.»* Una cerrada ovación siguió a estas palabras, y la actuación pudo comenzar por fin.

Al día siguiente, tras el tumulto, las autoridades llegaron incluso a pensar en suspender los siguientes conciertos, pero el artista mexicano habló con los responsables de la seguridad y sus palabras del día anterior se difundieron convenientemente por radio y prensa. Así, el segundo día el teatro estaba abarrotado de nuevo, pero esta vez sin problemas, con el público tan entregado como era costumbre, y sin más incidentes.

Y tras la accidentada visita a Lima. Jorge Negrete y su Trío regresaron a México, donde tenían nuevos compromisos con el cine.

## Capítulo XXVII

### — Jorge se convierte en líder sindical —

Jorge Negrete había empezado bastante tiempo atrás a colaborar en lo que podía con la Unión de Trabajadores de Estudios Cinematográficos de México. En 1945, los actores mexicanos decidieron separarse del Sindicato, que por entonces presidía Enrique Solís, a causa de ciertos desacuerdos y notando que sus intereses no estaban bien defendidos.

El actor más famoso e influyente de México, Mario Moreno «Cantinflas», fue el primer líder de la naciente ANDA, Asociación Nacional de Actores de México. Inmediatamente, Jorge brindó a la Asociación todo su apoyo, y se dedicó a trabajar intensamente para ella, hasta el punto de que, más adelante, casi abandonaría su carrera para dedicar todos sus esfuerzos a la Asociación, algo que le perjudicaría seriamente en su trabajo y en su popularidad.

Se convirtió en secretario general de ANDA, lo que provocó un enfrentamiento con Mario Moreno «Cantinflas», quien también optaba a ser reelegido para el cargo y al que no gustó nada que sus compañeros eligieran a Jorge Negrete en lugar de a él para ocupar el puesto. Hasta entonces, Jorge y Mario eran amigos, la lucha sindical les unía, pero desde ese momento las cosas cambiaron. Aquel desencuentro entre ambos no gustó a nadie. Mario Moreno había trabajado mucho y desde hacía mucho tiempo por el Sindicato, pero también él lo había hecho, y contaba con el apoyo prácticamente unánime de todos sus compañeros. Esto sentó muy mal a

«Cantinflas», que desde ese momento se convirtió en el más acérrimo opositor de Joegr Negrete en las actividades de la ANDA, aunque sin ningún resultado práctico, ya que el Gran Charro contaba con un apoyo unánime entre sus colegas.

Su trabajo en la Asociación de Actores era, como ya hemos mencionado más de una vez, no sólo espléndido en sus resultados, sino un ejemplo de dedicación en su desarrollo. Cuando no estaba rodando una película o se encontraba de viaje, dedicaba hasta doce horas diarias a su labor como líder sindical.

Y es forzoso reconocer que el trabajo de Jorge Negrete al frente de la Asociación dio muy buenos frutos. Gracias a sus esfuerzos, se logró por primera vez una férrea unión entre todos los actores mexicanos y se consiguió organizar un montepío que les facilitó a todos seguros médico y de vida; se construyeron un edificio para el Sindicato y otro para la Casa del Actor; una residencia para los actores ancianos que no contaran con medios económicos; un teatro-auditorio, que más tarde se llamaría Teatro Jorge Negrete, en homenaje a su principal impulsor; se desvivió por conseguir que la clínica de actores fuera por fin una realidad, para lo cual logró que el Departamento Central reservara para ese fin cinco centavos de cada entrada que se vendiera en los cines y teatros de la ciudad, e incluso él mismo hizo varias donaciones importantes para este proyecto. Además, participó decisivamente en la elaboración de la Ley Cinematográfica, que obligaba a los exhibidores mexicanos a reservar un 50 por 100 del tiempo de pantalla a las películas mexicanas. También consiguió convertir en diputado a uno de sus amigos y colaboradores, Rodolfo Echeverría, quien sería el primer defensor de los actores ante el Congreso. Y a su muerte, Jorge Negrete dejaría al Sindicato no sólo saneado y muy desarrollado, sino que además lo dejó perfectamente capitalizado, con diez millones de pesos mexicanos en sus arcas, destinados a los servicios sociales para sus miembros.

Su trabajo en la ANDA le valdría a lo largo de los años numerosos reconocimientos, tanto oficiales como de los propios miembros de su profesión. Así, en 1951 el periódico *Ovaciones* y la XEX premiaron su labor humanitaria por los actores sin medios económicos con una medalla de oro. En 1952, con su salud ya muy quebrantada, recibiría el premio que más le satisfizo a lo largo de toda su vida, al ser condecorado en la Sala de Banderas del Palacio Nacional por el Cuerpo de Defensores de la República, la Asociación de Veteranos del Ejército Mexicano, al que Jorge Negrete siguió queriendo hasta el día de su muerte...

Su labor sindical sería, como decíamos, enorme, y todos sus compañeros de profesión se lo han agradecido siempre. Pero como veremos en las siguientes páginas, el hecho de convertirse en un líder sindical le acarrearía también injustas enemistades en muchos países, ya que se convirtió en un ejemplo para los sindicalistas no sólo en México, sino en medio mundo, cosa que le traería problemas en sus visitas a distintos países, especialmente en Centro y Sudamérica, además de en su propio país, aunque en este caso por otros motivos. Su enemistad con «Cantinflas» nunca nadie la ha acabado de comprender, porque en realidad no existieron motivos. Pero esa animadversión mutua estuvo ahí y ha pasado a la historia.

## CAPÍTULO XXVIII

### — SU ENEMISTAD CON «CANTINFLAS» —

LA enemistad que surgió entre Jorge Negrete y Mario Moreno «Cantinflas» a causa de la secretaría general de la ANDA ha sido analizada innumerables veces por todo tipo de amigos, periodistas e incluso sociólogos mexicanos. Todo aquel que conocía a ambos personajes no puede comprender cómo, dados sus respectivos caracteres, pudo surgir tan enconada animadversión entre ambos.

Sus orígenes sociales eran bien distintos; mientras Jorge Negrete nació en el seno de una familia acomodada, y en su adolescencia ya hablaba tres idiomas, «Cantinflas» aprendió a leer prácticamente en su adolescencia. Él provenía de una familia extremadamente humilde, y toda su vida se había comportado como una persona abierta, amable con todo el mundo y defensora de cualquier desvalido que se pusiera en su camino. ¿Por qué, pues, aquel enfrentamiento con Jorge Negrete, quien también se desvivía por los demás?...

Hay quien sostiene, entre dientes, que se trataba de una injustificada «envidia». Mario había llegado a ser la máxima estrella de su país, y en ese privilegiado puesto estaba cuando llegó Jorge Negrete y le arrebató buena parte de su «brillo». Por otro lado, «Cantinflas» nunca había soportado a quienes ostentan un cargo y «lo lucen», como él decía, por lo que no le gustaba nada que Jorge Negrete «luciera» como gran líder sindical, dedicado a ayudar a los demás, mientras su personalidad frente al público y desde las grandes pantallas de los cines era la del «macho mexicano», el hombre duro y seguro de sí mismo, machista y conquistador. «Cantinflas», al fin y al cabo, ponía en la pantalla personajes que estaban «sacados» de su propia personalidad y carácter, mientras que en Jorge Negrete se daba el caso exactamente contrario. Por otro lado, él despreciaba a «Cantinflas» por su ascendencia humilde, y éste a su vez tenía a Jorge Negrete por un engreído, un personaje cargado de soberbia, idéntico a los que él destrozaba en sus películas (algo parecido a lo que le ocurrió a María Félix cuando le conoció, un sentimiento que con los años variaría tan considerablemente como para convertir un profundo odio en un gran amor). En una carta escrita por Jorge a su hermano David desde París en 1948 puede notarse con toda claridad esa animadversión hacia «Cantinflas». Le contaba a su hermano un encuentro con el otro astro mexicano, con el que había coincidido en un hotel parisinense: *«Esta mañana desayuné con Mario en el George V y lo vi muy engreído. Se da aires de gran señor, y hasta quiso discutir de filosofía con un tono de suficiencia que daba risa. A las dos palabras empezó a desbarrar, pero él creía que estaba dictando cátedra. Por suerte no lo voy a ver mucho, sale mañana para Roma...».*

Durante todo el tiempo que Jorge Negrete dirigió la ANDA, Cantinflas fue su más enconado opositor. Trató de obstaculizar todos y cada uno de los pasos que daba, pero, como ya dijimos, sin resultado. Han pasado muchos años y aún nadie se explica cómo entre estos dos hombres, los máximos símbolos de su país, que se llevaban bien con casi todo el mundo, pudo existir una enemistad tan profunda. Pero así fue, y posiblemente nunca México consiga entenderlo totalmente.

# Capítulo XXIX

## — «Gran Casino», operación de imagen —

De vuelta ya en México, en diciembre se inicia el rodaje de otra película. Otro de los mejores filmes de la carrera de Jorge Negrete. «*Gran Casino*» (que en principio iba a titularse «*Tampico*» o «*En el viejo Tampico*») fue toda una operación de limpieza de imagen, pensada para quitar el relativo mal sabor de boca que las tres últimas películas habían dejado en buena parte de sus seguidores. Su público mayoritario quería obras alegres, amables, con mucha música y con simpatía, y así se pensó «*Gran Casino*», cuyo director no fue otro que Luis Buñuel. El Trío Calaveras volvió a estar tras Jorge Negrete, y en esta ocasión las canciones se cuidaron como nunca; «*Dueño de mi amor*», de Esperón; tangos tan famosos como «*Adiós, Pampa mía*», de Canaro y Mores, o «*El choclo*», de A. G. Villoldo, o «*La norteña*», de F. Vigil, volvieron a satisfacer, y ampliamente, los deseos y exigencias de su público de siempre. El reciente y triunfal viaje a Argentina estaba bien presente en esta película, y especialmente en su música. «*Gran Casino*» fue, además, el debut en el cine mexicano de Libertad Lamarque, la gran estrella argentina. Durante la visita de Jorge Negrete a Argentina, entre éste y Libertad Lamarque había nacido una buena amistad, y esta película fue el primer fruto de la misma. Además de Libertad, en la cabecera del cartel estaban Mercedes Barba, Agustín Isunza, Julio Villarreal, José Baviera, Alfonso Bedoya y una larga serie de popularísimos secundarios. La obra, como decíamos, era todo un alarde destinado a hacer olvidar los mediocres resultados de los últimos filmes, hechos quizá con demasiada precipitación, simplemente para cubrir una cuota de mercado y sin cuidar como era debido la calidad final.

La película estaba entre el género policiaco y la comedia de enredo; un guión inteligente, basado en la novela «*El rugido del paraíso*», de Michael Weber, con la suficiente dosis de gracia e ingenio como para satisfacer a todo tipo de públicos. La película contaba cómo dos aventureros que llegan en busca de trabajo a una región petrolífera dan con el dueño de un pequeño campo al que un magnate sin escrúpulos trata de arrebatar su propiedad. Los dos amigos se contratan con el agobiado petrolero y le brindan su ayuda para librarle de lo que se le viene encima. Un buen día el pequeño propietario desaparece, y sus dos amigos piensan que ha sido asesinado. Pero llega la hermana del desaparecido, una hermosa muchacha argentina (Libertad Lamarque), y la cosa se complica. Tras muchas peripecias, tramas y complots, todo acabará bien, como era de esperar.

Era la película que los seguidores de Jorge Negrete necesitaban, y con ella se cumplió perfectamente el propósito de hacer olvidar las anteriores. Pero «*Gran Casino*», pese a su éxito, no fue nada comparado con lo que vendría un año más tarde.

## Capítulo XXX

### — 1947: luna de miel en Buenos Aires —

El año 1947 fue también importante; a Jorge Negrete le gustaba más actuar en directo que pasarse la vida haciendo películas, por rentable que esto último le resultara. Por eso no dudó un momento en aceptar un contrato que le llegó desde Argentina. Le ofrecían hacer, junto a Gloria Marín, la obra musical «*Luna de miel para tres*», un espectáculo «a lo Broadway», pero absolutamente latino. La música era de Mariano Mores y Francisco Canaro, mientras el libreto había sido escrito por Sixto Pondal y Olivarri.

Jorge y Gloria aceptaron de inmediato la oferta, y el primero pospuso todos los proyectos cinematográficos que tenía para ese año. De hecho, durante 1947 no haría ninguna película, sino que dedicaría el año prácticamente íntegro a «*Luna de miel para tres*». Fundó inmediatamente una compañía teatral, con Gloria Marín y Francisco Canaro acompañándole en la cabecera del cartel, y artistas de primera fila como Pedro Quartucci o Amanda Valera en el amplio reparto, y se dedicó al montaje de la obra.

«*Luna de miel para tres*» era una comedia musical alegre, con buenas dosis de humor, como era previsible. El guión entusiasmó a Jorge Negrete desde el primer momento, aunque aportó su granito de arena al mismo con diversas sugerencias, referentes sobre todo a su propia actuación en la obra, que lo mejoraron sensiblemente.

El teatro donde iba a representarse la obra era el Presidente Alvear, de Buenos Aires. El montaje sería importante, con más de cien personas trabajando febrilmente durante semanas en la preparación de los espectaculares decorados, el lujosísimo vestuario y, por supuesto, los más que cuidados números musicales, en los que el tango argentino y la música mexicana se daban la mano. La obra era, como la definieron sus propios autores, «una fiesta argentino-mexicana».

El debut fue un éxito impresionante, y «*Luna de miel para tres*» se mantendría en cartel nada menos que siete meses, con lleno diario, y con un único «parón» de unos días, cuando el 10 de julio Jorge Negrete recibió la triste noticia de la muerte de su padre, don David Negrete. Pese a su tristeza, como aquel día estaban todas la localidades vendidas, Jorge se sintió en la obligación de cumplir con su público, por lo que decidió actuar y marcharse a México tras la representación.

Lo intentó, pero no pudo, ya que su dolor era muy grande. Jorge adoraba a su padre, y la noticia le causó una profunda pena. Salió a escena y comenzó la primer canción, pero su cabeza estaba en otra parte y olvidó la letra. Hasta cuatro veces se dio la entrada a la canción, pero en las cuatro ocasiones le sucedió lo mismo. Y el público, que sabía la causa de la desazón del cantante, en lugar de enojarse le regaló una cerrada ovación, disculpándole por completo a causa del mal momento que estaba pasando.

## Capítulo XXXI

### — Unas oraciones muy especiales —

Jorge Negrete se fue inmediatamente a México para acudir al entierro de su padre. Hizo para él una oración, que hasta muchos años más tarde, en 1961, cuando su madre dio su permiso, no sería publicada y conocida por todos. Esta oración decía literalmente esto:

*«Señor y Padre mío: Recibe a mi papacito en tu santo seno y guárdalo a tu lado concediéndole la gracia divina de tu misericordia y el gozo inefable de tu presencia gloriosa, para que así pueda él disfrutar de felicidad y paz eternamente, ya que todos los actos de su vida ejemplar lo han hecho acreedor a tus mercedes y favores. Y si tuviese que sufrir alguna pena por tu mandato divino, concédeme, oh Padre mío, la gracia de ser yo quien por él sufra, y solamente te ruego, Señor, que al sufrirla no se vean afectados ni mi madrecita adorada, ni mi hija Diana, ni ninguno de mis hermanos o parientes, ni las personas que se encuentran muy cerca de mi corazón y de mis afectos, sino yo, y solamente yo.»*

Una segunda oración, ésta a la Virgen de Guadalupe, completaba la anterior:

*«Virgencita linda de Guadalupe, Madre piadosa y adorada, ayuda a mi papacito para que nada le falte de tu amor y tus bondades; condúcelo de la mano a presencia de Dios Nuestro Señor, tu sacratísimo hijo, y ampáralo bajo tu sagrado manto, rogando por él para que pueda permanecer en el lugar de los elegidos, y allí, a su lado, goce de paz*

*y felicidad eternas. Cuida mucho a mi madrecita adorada, alíviala de sus enfermedades, no me la quites, Madre mía, déjamela para poder venerarla y proporcionarle toda la felicidad que tú me quieras permitir en esta vida; guárdala de todo mal y protégela. Cuida mucho a mi hijita, no la dejes de tu santa mano, y ayúdame a hacer de ella una persona de bien, cristiana y devota. Que nada le falte, Madre Santísima, y que pronto pueda venir a mi lado. Y a mí, Madre venerada, ayúdame e ilumíname para seguir el camino de tu bondad, tu misericordia, tu sabiduría, y así poder llegar a ser más útil a Dios, a mi patria y a mi pueblo.»*

Cuando estas oraciones que Jorge Negrete escribió con motivo de la muerte de su padre fueron conocidas, muchos años después de su propia muerte, el mundo descubrió una faceta hasta entonces desconocida en el Gran Charro. Todo el mundo sabía que era una persona sensible y cariñosa, un hombre íntegro. Pero apenas nadie conocía esta faceta tierna, casi mística, de su personalidad. Quizá porque ello cuadraba poco con su imagen de «macho» mexicano, de charro duro y valiente, su madre decidió guardar el «secreto» de estos papeles durante tanto tiempo. Pero finalmente, quiso que el mundo conociera también esta oculta faceta de la personalidad de su hijo.

## Capítulo XXXII

### — Un accidentado paseo por Uruguay —

Cuatro días después del entierro de su padre, Jorge Negrete estaba de nuevo en Buenos Aires, junto a Gloria, para seguir con su trabajo en el teatro. Y a los siete meses de haberse estrenado «*Luna de miel para tres*», con el teatro lleno durante más de doscientas noches, el contrato acabó y él y su «troupe», antes de volver a casa, fueron a Uruguay, donde tenían un compromiso en el Teatro Artigas.

Su debut en este teatro fue parecido, en cuanto a lo accidentado, al que tuvo que sufrir en Perú. Ocurrió que, a causa de un malentendido provocado por un representante del mencionado (no su hermano David, sino otro al que se encargó la preparación del viaje), que había llegado al país unos días antes, un grupo de uruguayos indignados, quizá a causa de la labor que él estaba realizando como sindicalista, o tal vez a causa de los celos que les provocaban determinadas afirmaciones del «macho mexicano», o de quienes le rodeaban (algo parecido le ocurriría en la visita a España que haría poco después), decidieron «reventar» la presentación del cantante mexicano.

La noche del debut en el teatro, antes de que comenzara la función, el grupo de reventadores comenzó a arrojar huevos, tomates y todo tipo de productos hortícolas al escenario instantes antes de que comenzara el show. Pero Jorge Negrete, como era su costumbre, no se amilanó; salió a escena e hizo frente a los saboteadores con un argumento intocable, muy parecido al que utilizó en Lima cuando las cosas se le pusieron igual de duras: *«Señoras y señores, no me gusta estar en un sitio donde no me quieren. Por tanto, no me considero acreedor al dinero que me pagan por actuar esta noche, y aquí, delante del embajador de mi país, que está sentado entre ustedes, quiero ceder todo lo que se recaudó en esta función a beneficio de la Cruz Roja. Y, lamentándolo mucho, doy por terminada mi actuación.»*

Fue como una bomba. Todo el teatro se quedó paralizado mientras él, sin más explicaciones, se retiraba. Pero nada más desaparecer tras las bambalinas, una ensordecedora ovación le obligó a volver a salir a escena y, mientras los reventadores eran expulsados, Jorge Negrete pudo iniciar su actuación, que durante veintidós días fue un éxito absoluto a teatro lleno.

Otro problema surgió durante su visita a Uruguay: un periodista «inventivo» hizo circular la especie de que, durante su estancia en este país, se había casado con Gloria Marín «en secreto», lo que provocó un auténtico terremoto en México y en media Sudamérica. La noticia era falsa, y le administró a Jorge un montón de quebraderos de cabeza.

Pero eso de tener problemas allá donde llegaba empezaba a ser una costumbre... Las envidias, los malos entendidos, los celos y la mala sangre de los desgraciados que iban a remolque eran ya la mejor demostración de que Jorge Negrete, «El Gran Charro», era el número uno.

Tras su visita a Uruguay, Jorge y el Trío Calaveras volvieron a Venezuela, donde el primero ya había estado anteriormente para filmar una película *(«Canaima, el dios del mal»)*, pero donde ahora iban para actuar en Caracas, con un éxito tan grande como ya era habitual; y de ahí, dieron un nuevo salto a Cuba, para actuar durante breves días por petición expresa del presidente del país. Allí, Jorge Negrete volvió a ser recibido con el cariño de siempre. Su visita fue breve, pero intensa. Y tras ella, volvieron a México.

## CAPÍTULO XXXIII

### — «ALLÁ EN EL RANCHO GRANDE» —

VOLVER a México y volver al cine fue todo una sola cosa. Tenía proyectos aplazados desde un año antes, y el ansia de sus innumerables seguidores por volver a verle y escucharle en la pantalla era enorme. Así que, en 1948, Jorge Negrete volvió a su ritmo habitual de trabajo frenético ante las cámaras. Lo que no sabía aún era que sus dos siguientes películas serían el soporte de las dos canciones que le harían pasar a la historia de la música para ocupar en ella un lugar eterno, inolvidable. Toda la gente, en cada uno de los cinco continentes, acabaría conociendo su nombre gracias a dos canciones que mucha gente ya tiene como suyas, y que son el emblema de México en todas partes: *«Allá en el Rancho Grande»* y *«Si Adelita se fuera con otro»*.

*«Allá en el Rancho Grande»* fue, sin duda, la película más famosa de cuantas Jorge Negrete filmó a lo largo de toda su carrera. No decimos que fuera la de mayor fama, ni la más profunda, ni la más estética... sino que fue la mejor, y lo fue porque era la película «de Jorge», y con la canción «de Jorge».

Tras un año sin rodar, el cine mexicano esperaba a Jorge Negrete como agua de mayo; no en vano, entre él y «Cantinflas» acaparaban la práctica totalidad del negocio cinematográfico en el país; una película de cualquiera de los dos daba más dinero que el resto de la producción del año... y Jorge Negrete llevaba ya un año apartado del cine. Por eso, su nueva película no sólo se cuidó al máximo, sino que se procuró que fuera una bomba. Y vaya si lo fue.

El 12 de enero de 1948 comenzó el rodaje de «*Allá en el Rancho Grande*». Dirigida por Fernando de Fuentes, con música (cómo no) de Manuel Esperón y canciones de un buen montón de los mejores compositores mexicanos del momento. En la película, sorprendentemente, no estaba el Trío Calaveras, ya que una serie de compromisos anteriores se lo impidió. Se dijo que había roces entre él y sus eternos amigos y acompañantes, cosa completamente incierta, ya que el trío no pudo estar allí debido a razones de trabajo, como más adelante comprobarían los «enterados» que dieron a luz semejante especie. Pero el caso es que en el filme que iba a ser el más importante (en cuanto a fama y número de proyecciones en los cines de todo el mundo) de Jorge Negrete, no estaba el Trío Calaveras, que sin embargo volvería a estar con él dos películas después, cuando se rodara en España «*Jalisco canta en Sevilla*».

El cartel lo encabezaban, junto a Jorge, Lilia del Valle, Eduardo Noriega, Armando Soto La Marina «El Chicote» (insustituible junto a Jorge si se quería un gran éxito) y Lupe Inclán.

Y éste es el momento de recordar, una vez más, a ese destino que tantas veces había jugado con la suerte y el devenir de la vida de Jorge Negrete, y que ahora volvía a hacer una de sus jugadas. Como el lector recordará, «*Allá en el Rancho Grande*» pudo haber sido la primera película de El Gran Charro, pero no lo fue por una serie de circunstancias que lo hicieron imposible. Porque esta película, curiosamente, era el *remake* de la del mismo título que en 1936 se ofreció al cantante pero que éste no aceptó y que, en su lugar, protagonizó Tito Guizar, cuyas exigencias resultaron menores que las que expuso él, por entonces aún inédito en el cine, pero con la ideas ya muy claras al respecto. Los productores, en aquella ocasión, prefirieron «ahorrarse» dinero y darle a Guizar el papel.

Aquella película, también dirigida por Fernando de Fuentes, fue un gran éxito, pero su *remake* lo fue infinitamente mayor. De Fuentes tenía desde aquel año de 1936 «clavada la espina» de que no hubiera sido Jorge Negrete el protagonista de la cinta, y no cejó hasta conseguirlo. A ese director, a su insistencia con los productores y, por supuesto, al hecho de que Jorge Negrete se hubiera convertido en la mayor estrella de la música de habla castellana, se debió el poder realizar esta nueva versión. Y es que el tiempo, una vez más, había dado la vuelta.

La película contaba una curiosa historia de intercambios entre hijos biológicos «cedidos» a causa de determinadas circunstancias por una madre a otra y el accidentado reencuentro de éstos, con los consiguientes problemas de si ciertos amores serían o no lícitos. Hasta que se descubre el desenlace de la enrevesada trama.

La música de «*Allá en el Rancho Grande*» era, por supuesto, de Manuel Esperón, y fueron varias las canciones de la película, de distintos autores, que consiguieron fama instantánea. La más triunfal, por supuesto, fue «*Allá en el Rancho Grande*», canción que se convirtió en una especie de estandarte de México en todo el mundo. Y otras piezas, como «*El gallero*», «*Amanecer ranchero*», «*Lucha María*», «*Ojos tapatíos*» o «*Canción mixteca*» también fueron éxitos.

### *Llega Adelita*

Casi inmediatamente después de finalizar el rodaje de «*Allá en el Rancho Grande*», Jorge Negrete comienza el de su siguiente película, que también se convertiría meses después en otro gran éxito, y que también incluía una canción que poco después sería tan emblemática como la del filme anterior: «*Si Adelita se fuera con otro*», título que también lo fue de la película.

Esta vez era Chano Urueta el director, y de nuevo Gloria Marín (que por esta película fue nominada al premio a la mejor actriz por la Academia Mexicana) compartía con Jorge Negrete la cabecera del reparto, en el que también estaban Crox Alvarado, Arturo Martínez, Arturo Soto Rangel y un buen puñado de los más populares actores secundarios mexicanos.

La música, como casi siempre, de Esperón y Cortázar, y entre las múltiples canciones que la banda sonora incluía, estaban varias de las que serían para siempre algunas de las piezas claves del repertorio del Gran Charro: «*Si Adelita se fuera con otro*», «*La cucaracha*»,

*«La Valentina (Si me han de matar mañana)», «Chihuahua la grande» «Dulce recuerdo»* o *«El desterrado»*, una mezcla de canciones en la que participaban distintos grupos de diferentes partes del país, como Coahuila, Yucatán, Sonora o Veracruz.

El filme fue un nuevo éxito a gran escala; la Revolución mexicana era de nuevo el eje central de la trama, con la ineludible colaboración del eterno personaje de Pancho Villa (esta vez encarnado por José Elías Moreno), y con Jorge Negrete interpretando el papel de Pancho Portillo, el revolucionario que conquista el corazón de la hermosa Adelita (Gloria Marín). Un melodrama con acción a raudales que satisfizo completamente al público de siempre.

## Capítulo XXXIV

### — Fama, fortuna... y España —

Aunque antes de estos dos filmes Jorge Negrete ya era una estrella absoluta, después de los mismos fue, además, multimillonario. Se construyó una impresionante mansión en la zona más lujosa de la capital mexicana, las Lomas de Chapultepec, algo así como «el Beverly Hills mexicano», donde sólo residían millonarios y personajes famosos, y allí se fue a vivir con Gloria. También amplió y mejoró considerablemente el enorme rancho que años atrás había comprado en Ciudad Valles, y que en realidad había sido un regalo para su familia, ya que había confiado su administración a su padre, don David. A él le encantaba visitar su rancho, y no perdía ocasión de hacerlo en cuanto tenía unos días libres.

La cadena de éxitos que había obtenido le abrió las puertas del mercado «madre» del mundo latino: el español. Los mismos productores de *«Si Adelita se fuera con otro»*, Fernando de Fuentes y Jesús Grovás, le propusieron viajar a España para hacer allí una película. Su compañera de reparto sería esta vez la actriz y cantante española más popular en aquel momento: Carmen Sevilla.

La dirección se encargó de nuevo a Fernando de Fuentes, y en el reparto estarían el insustituible «Chicote», Armando Soto La Marina; Jesús Tordesillas, Leonor María y el también popularísimo actor cómico español Ángel de Andrés. El éxito estaba asegurado.

Así que Jorge Negrete y su «troupe», en la que de nuevo estaba el Trío Calaveras como grupo acompañante del actor mexicano, se fueron a España, donde recibieron una acogida tan calurosa y multitudinaria como las que le brindaban en cualquiera de los países que visitaba. El Trío viajó antes, para intentar conseguir algunas actuaciones antes de que Jorge Negrete llegara, y así ir «abriendo camino».

En España él también era ya una gran estrella desde hacía años, pero a partir de su visita esa fama y esa popularidad iban a multiplicarse por diez, con la inestimable ayuda de la película junto a Carmen Sevilla.

La incorporación, de nuevo, del Trío Calaveras al elenco del cantante cortó de raíz los insistentes rumores que habían surgido en los últimos tiempos sobre unas teóricas diferencias surgidas entre el Gran Charro y sus eternos tres amigos; quedó claro que si no habían actuado en las dos anteriores películas no fue porque se les hubiera dejado de lado, sino porque tenían compromisos ineludibles que no les permitieron tener tiempo libre para aquellos rodajes.

La llegada a España fue tan multitudinaria como de costumbre; Jorge Negrete llegó a Madrid, acompañado por su hermano David, a bordo del expreso procedente de París. En la estación del Norte (Príncipe Pío) le esperaba una multitud enfervorizada. Miles de chicas gritando, exactamente de la misma forma en que cinco lustros más tarde ocurriría en todas partes con Los Beatles. Y es que él, de hecho, era tan famoso como serían los legendarios músicos de Liverpool, pero con el mérito añadido de que, en su época, ni el mercado discográfico mundial, ni los medios de comunicación, ni el marketing promocional tenían ni la vigésima parte de la fuerza e importancia que adquirirían veinticinco años más tarde.

La llegada, en fin, fue grandiosa; tuvo que salir de la estación rodeado por la policía, y una vez en el hotel, recibió a la prensa. De nuevo, como ya le había ocurrido en varias ocasiones, algún malintencionado, algún envidioso o algún imbécil se dedicó a tergiversar ciertas declaraciones suyas, intentando poner en su contra a los medios de comunicación y, en cierta forma, consiguiéndolo en principio. Por una parte se dijo que había criticado al Gobierno francés, y se añadió que, desde París, había hecho también ciertas críticas a España. Para colmo, se inventó la especie de que Jorge había dicho que «los hombre españoles son poco machos», lo cual puso en su contra a ciertos sectores conservadores y poco informados. (Solía sucederle esto, generalmente, por la animosidad que en los sectores más radicales de la derecha de todos los países que visitaba producía el hecho de que Jorge Negrete fuera un sindicalista convencido, un protector a ultranza de los derechos de sus compañeros. Eso hacía que los grupos más reaccionarios le tacharan, incluso, de «comunista», una memez de tal calibre que ni siquiera merece mayor comentario.)

Todo ello, por supuesto, era radicalmente falso, y así se lo hizo ver el Gran Charro a los periodistas españoles al llegar a Madrid. Todos los rumores y malos entendidos fueron inmediatamente enterrados, y el mexicano se ganó a la prensa española en unos minutos. Al día siguiente, todos hablaban de su simpatía, su calidad humana y su enorme personalidad.

Madrid recibió al mexicano de la forma más castiza que en aquellos tiempos podía concebirse: con un homenaje en el museo de bebidas del famoso barman Perico Chicote, amigo entrañable también de otro gran amigo de Jorge, Agustín Lara. Allí cantó Jorge Negrete unas canciones coreadas por todos los asistentes, y allí se ganó definitivamente la simpatía y el cariño de los españoles más refractarios.

### *Una «sonada» noche madrileña*

Como dijimos, el Trío Calaveras había viajado a Madrid unas semanas antes que él, para buscarse algunas actuaciones y calentar el ambiente. Pero no tuvieron suerte... hasta que llegó Jorge. El reencuentro entre los amigos fue motivo más que suficiente para organizar una fiesta, fiesta que todavía es recordada por algunos afortunados habitantes de la capital española que tuvieron la suerte de vivirla, siquiera indirectamente. El Trío tenía un departamento alquilado, y allí organizaron la parranda, que como puede suponerse fue notablemente ruidosa. Pasaba de la medianoche y los cánticos y guitarreos eran estentóreos, lo que provocó que los vecinos empezaran a protestar. Avisaron al administrador del edificio, que inmediatamente se presentó en el departamento para exigir silencio.

Pero al comprobar que quien armaba el escándalo no era otro que Jorge Negrete, de quien el buen hombre era un acérrimo seguidor, en lugar de llamarles la atención se unió a la fiesta.

Los vecinos siguieron protestando, por lo que los alegres cantantes decidieron irse con la música a otra parte, y la fiesta siguió por distintos bares madrileños. Ya bien entrada la madrugada, en una típica y famosa churrería que existía en la calle de Alcalá, la fiesta llegó a su cenit. Allí se pusieron todos a cantar a voz en cuello ante el entusiasmo de la propietaria del local, otra fervorosa admiradora del Gran Charro, y allí éste, en su honor, le brindó un «*¡Ay, Jalisco, no te rajes!*» tan espectacular que la gente acabó arremolinándose en la calle hasta formar un verdadero tumulto. Y eran las 7 de la mañana... Llegó la policía, pero al ver de qué se trataba, los agentes se limitaron a pedirle a Jorge Negrete unos autógrafos.

Pocos días después de su llegada a Madrid, debutaba por fin ante los micrófonos de la emisora de radio más importante del país, Radio Madrid, y de todas las emisoras que por entonces tenía la Cadena Ser. Treinta y tres emisoras cubrieron en cadena para toda la nación aquel primer concierto de Jorge Negrete y el Trío Calaveras en España. Luego, quince días en un teatro de Madrid, y entre el público que lo llenó a diario, dos seguidoras muy especiales: la esposa del generalísimo Franco, doña Carmen Polo, y su hija, Carmen. Inmediatamente después, él y los Calaveras visitaron dos ciudades: Valencia y Alicante, donde también abarrotaron los teatros, para volver luego a Madrid a comenzar el rodaje de «*Jalisco canta en Sevilla*».

Fernando de Fuentes consiguió una buena película, y el éxito previsto se hizo realidad.

Jorge Negrete regresó a México dejando a los españoles entusiasmados; si la mayoría del público ya le quería cuando llegó, puede afirmarse que cuando se fue le quería todo el mundo. Sin duda, sabía ganarse a la gente.

## Capítulo XXXV

### — Una sucia campaña en su contra —

Pero Jorge Negrete estaba sufriendo en su país, a causa de su enemistad con determinados caciques por su firme labor como líder sindical, una persecución realmente sucia.

Aprovechando el «malentendido» (probablemente organizado, como ya dijimos) con la prensa española, un sector de la prensa mexicana, concretamente la prensa amarilla, publicó en México una serie de falsedades similares a las que se propalaron en España a su llegada.

Cuando llegó a Madrid había declarado ante los medio de comunicación españoles que «algunos periodistas mexicanos no tenían la suficiente ética profesional», cosa estrictamente cierta, ya que está siendo sometido a una marea de falacias y comportamientos miserables por parte de algunos periodistas de su país, pagados por los caciques a los que él se enfrentaba una y otra vez. Pero sus declaraciones a los medios españoles se tergiversaron y manipularon de manera miserable, y en México varios medios amarillos publicaron una versión distorsionada y canallesca de aquellas declaraciones. Publicaron que Jorge Negrete había dicho en España que «los periodistas mexicanos son unos ignorantes, unos muertos de hambre y unos corruptos». Así, sin más y en general. Todos.

Cuando esas falsas declaraciones aparecieron en algunos de los más deleznables medios de comunicación de México, y pese a que se trataba de los más desprestigiados, tuvieron tal eco que incluso algunos periodistas de máximo nivel llegaron a creerlas. Y eso provocó una reacción en cadena en contra de Jorge Negrete, sobre el que cayeron todo tipo de críticas, insultos y absurdas amenazas. Envalentonados, los propagadores de aquellos infundios se lanzaron a una campaña desaforada, llegando a decir que él había insultado al propio presidente del país, que despreciaba a los mexicanos, que era «antimexicanista»... Todo valía, puesto que él no estaba allí para defenderse.

Cuando Jorge Negrete tuvo conocimiento de la campaña que en su propio país se estaba desarrollando en su contra, sintió más pena que rabia. Hubo quien le aconsejó que lo ignorara, que esperara a volver a México para enfrentarse a los autores de la montaña de calumnias que estaba cayendo sobre su persona, pero no quiso esperar. Reaccionó de una forma visceral, simplemente porque no podía esperar a volver a México para sacudirse de encima tanta basura. Así, desde Sevilla, donde estaba rodando su película, envió una carta al diario «Excelsior» el más importante del país, en la que, tras mostrar su indignación con los autores de la campaña de mentiras y falsedades que estaba sufriendo, decía textualmente:

*«Llamarme renegado y antimexicano es realmente inaudito, pues la insignificante historia de mi vida habla por sí sola de mis actitudes y de mi acendrado amor por mi patria, que forma una segunda religión dentro de mi espíritu. Al llamarme a mí "renegado" también llaman renegados a Agustín Lara y a todos los compositores mexicanos que interpreto en mis actuaciones y a los artistas y técnicos que me acompañan en mi trabajo. Al llamarme "antimexicano" se olvidan de que por infinidad de países he paseado y exhibido, no las costumbres chinas, ni malayas, ni europeas, sino exclusivamente las de mi patria, con toda su jerarquía envuelta en el calor divino de sus canciones, adornado con el incomparable traje nacional. Dios sabe, y el público también, que primero sería capaz de cometer un acto criminal o inclusive de terminar con mi existencia, antes que renegar de mi patria y de mi pueblo.»*

La carta publicada en el «Excelsior» detuvo en seco la sucia campaña montada contra él por el montón de gángsters a los que no gustaba su forma de actuar en el campo sindical, pero aún hubo otra reacción igualmente fulgurante, que también sirvió para acallar aquel cúmulo de falsedades: Jesús Grovás, uno de los más importantes productores del cine mexicano y una de las personalidades más respetadas en el mundo del espectáculo en su país, publicó a su vez en los medios de información más importantes de México una carta que con el encabezamiento de «Carta a la opinión pública», decía esto:

*«La campaña contra Negrete cae en el terreno de lo personal, pues le adjudican peligrosa y gratuitamente frases que no ha pronunciado jamás. Se hace hincapié en el antimexicanismo de Jorge Negrete: ¿de dónde sacan esta absurda y criminal acusación? Jorge Negrete, y de ello han sido testigos millares de españoles, ha brindado todos los aplausos recibidos en su gira al público mexicano. ¿Cómo se puede afirmar que los personajes de sus películas son la antítesis de los tipos mexicanos?... Primero: no es cierto que Jorge haya acusado, ni mucho menos calumniado, a la prensa mexicana. Segundo: en ningún momento, ni pública ni privadamente, Jorge ha tenido palabras ofensivas para nuestro primer mandatario, el licenciado Miguel Alemán. Y tercero: Jorge no ha dicho jamás que necesitaba su pistola porque un mexicano no puede caminar sin ella.»*

(Esta última frase de la carta de Grovás se refería a las declaraciones publicadas por un periodista español que le había preguntado, durante el rodaje de «*Jalisco...*», por qué llevaba siempre su revólver a lo largo de toda la película, una pintoresca imposición de los guionistas y el director, que pensaban que eso aportaba pintoresquismo a la imagen del mexicano. Al propio Jorge Negrete le parecía ridículo tener que llevar el revólver colgando durante toda la película, pero lo aceptó, y cuando le preguntaron por ello, contestó con sorna y en broma «que eso era muy mexicano», y que los charros «no podían ir sin su revólver». Pero su respuesta fue simplemente una pequeña burla hacia quien había ideado tal escenografía, no una respuesta seria. No obstante, la broma se interpretó según el interés de quien quería perjudicarle, y de ahí vino el problema.)

La reacción de Jorge Negrete y quienes le conocían ante la sucia campaña montada en su contra fue tan clara y contundente, y la reacción de la gente tan favorable al Gran Charro, que el montaje se difuminó en el aire tan rápidamente como había surgido. Así, cuando Jorge Negrete regresó a su país, fue como si la sucia jugarreta nunca se hubiera producido. Los periodistas estaban tan avergonzados que apenas nadie llegó a preguntarle por el asunto. Y él ni siquiera se tomó la molestia de querellarse contra esa prensa amarilla autora de la canallada y con los periodistas a sueldo de los caciques que tanto le odiaban. Prefirió dejarlo pasar, y todo el mundo se quedó tranquilo. Y nunca en adelante volvió a tener valor de intentar otra jugada de este tipo contra Jorge Negrete.

A su regreso a México, con las aguas ya calmadas y antes de volver a entrar en un plató para rodar su siguiente trabajo para la pantalla, aceptó realizar una breve aparición en la película «*Una gallega en México*», que iba a ser el debut en el cine de una buena amiga, Nini Marshall, «Catita».

## Capítulo XXXVI

### — 1949: un año negro —

El año de 1949 no iba a ser, en absoluto, bueno para Jorge Negrete. Su interés por la cuestión sindical era cada día más grande y durante este año que ahora comenzaba iba a dedicarle más tiempo al sindicalismo que a su propia carrera artística, cosa que, evidentemente, se tenía que notar. Y se notó.

Había llegado a ser secretario general de la Asociación Nacional de Actores, y se volcaba en ello hasta el punto de desatender su propia vida. Rechazó contratos, desestimó dos películas que pudieron haber sido muy interesantes, y cantó en directo con mucha menor asiduidad que antes. Reclamado en Estados Unidos para una breve gira, fue a Nueva York, y a su vuelta comenzó el rodaje de la primera de las dos únicas películas que haría aquel año: «*Lluvia roja*».

La dirigió, sin grandes resultados, René Cardona. Jorge Negrete era un artista capaz de cualquier cosa, pero lo que resultaba igualmente evidente era que a él no se le debían dar películas de este tipo: melodramas sangrientos y amargos, lo más alejado al alegre charro que medio mundo veía en él. Por eso «*Lluvia roja*» fue una decepción para casi todos. La película estaba basada en la novela del mismo título escrita por Jesús Goytortúa Santos, que con ella ganó el premio de Literatura Ciudad de México en 1946. Pero, pese a su calidad, no era en absoluto lo idóneo para Jorge Negrete.

Había un buen elenco; estaba el Trío Calaveras, como casi siempre, y los papeles principales corrían a cargo de Elsa Aguirre, Julio

Villarreal, Alicia Caro, Domingo Soler y Rodolfo Landa. Pero el guión, la historia de un cruel coronel (encarnado por Jorge), no era, sin embargo, el adecuado para el Gran Charro. Y la película resultó un fiasco. Ni sus canciones pegaron ni el público se entusiasmó lo más mínimo con ella.

Siguió corriendo aquel año negro y Jorge Negrete hizo una segunda película, que fue su segundo gran error de aquella temporada maldita. «*La posesión*», basada en la novela de José López Portillo y Rojas, fue otro intento de convertirlo en un actor dramático para un cine amargo. Y evidentemente no era eso lo que su público quería.

Aunque, como en la película anterior, la música seguía siendo de los inefables Esperón y Cortázar, ni en el caso de «*Lluvia Roja*» ni en éste, la música tuvo gran protagonismo en el producto final.

Lo cierto es que a él le parecía bien prescindir de las canciones en sus películas, simplemente porque quería demostrar que podía ser un actor dramático «sin más», sin necesidad de aderezar su actuación con su faceta de cantante. Preguntado una vez, tras su debut en Argentina, a este respecto, respondió:

«*No pienso que sea indispensable que cante en mis películas. Tengo la pretensión de creer que, sin la intercalación de canciones, puedo hacer decorosamente cualquier papel. El actor debe poseer versatilidad suficiente para agradar a su público en cualquier matiz que el papel le exija. Pero continuaré haciendo películas de charro. Soy mexicano de la cabeza a los pies, y como tal seguiré la vida entera. Para mí es una honra encarnar a nuestro hombre de campo y hacer conocer por medio del celuloide cuál es su verdadero carácter... ¡Y pueden comprobar ustedes que mi charro es absolutamente auténtico!*»

Y es que Jorge Negrete, aunque no renunciaba a demostrar sus cualidades como actor, también sabía que lo más puro de su trabajo era precisamente eso, ser charro.

Julio Bracho dirigió este segundo «fiasco relativo» del cantante en el malhadado año de 1949; el Trío Calaveras estaba ahí, y un puñado de buenos actores intentaron dar forma a una película que quedó muy lejos de lo que de ella se esperaba. Miroslava, Eva Martino, Domingo Soler, Julio Villarreal o Luis Corona, encabezando un reparto amplio y cuidado, hicieron lo que pudieron, que si bien en el plano artístico estuvo a buena altura, fue muy poco en lo referente a satisfacer al masivo público del Gran Charro. Hubo críticos que aventuraron la hipótesis de que «alguien, cometiendo un grave error, está tratando de convertir a Jorge Negrete en lo que no es, alguien que quiere convertir a un gran cantante de carácter alegre y optimista en un sujeto amargo, serio y trascendente. Están cometiendo una salvajada». Y efectivamente, aquel trágico melodrama no condujo a ninguna parte. O sí: a un grave bache en la carrera de Jorge Negrete.

## Capítulo XXXVII

### — De nuevo España —

Todo aquel año «maldito» lo dedicó a su labor sindical. Y poco a poco su popularidad, que en México se mantenía porque era enorme, iba decreciendo en el resto del mundo. No aparecían nuevas canciones de éxito, no había nuevas películas atractivas para el público «llano». Y la fama es muy voluble. Salvo para sus eternos incondicionales, que todo se lo perdonaban, para otro gran sector de público latino, en todos los países incluida España, Jorge Negrete iba perdiendo interés. No es que fuera algo definitivo, pero sí se notaba un importante bajón en su popularidad. Y eso era peligroso.

El más importante productor español, Cesáreo González, amigo de él desde tiempo atrás, acababa de contratar a María Félix para hacer una película en España. Y en uno de sus viajes a México se reencontró con Jorge Negrete, y se le ocurrió la idea de que valdría la pena que el Gran Charro hiciera una nueva película española. Se lo propuso y aceptó.

Jorge Negrete volvió a España en abril de 1950, pero esta vez a su llegada no hubo tumulto, no había masas de *fans* ansiosas de verle de cerca. Su popularidad había decaído enormemente, y eso le supuso una profunda decepción. Pero comprendió que la cosa era lógica, y lo asumió.

*«Teatro Apolo»*, dirigida por Rafael Gil, por entonces uno de los más prestigiosos realizadores españoles, comenzó a rodarse sin que

a su alrededor se produjeran las viejas escenas multitudinarias que el Charro había vivido con «*Jalisco canta en Sevilla*». No había manadas de periodistas pendientes de cada uno de sus pasos, ni aglomeraciones de enloquecidas *fans* a las puertas de su hotel. Por el contrario, la cosa era muy tranquila, demasiado como para resultar «tranquilizadora».

Pese a los buenos propósitos de Cesáreo González, «*Teatro Apolo*» resultó una película un tanto anodina; un guión muy simple (un mexicano hijo de españoles que llega a España, se enamora de una linda chica y acaba triunfando en el teatro cantando zarzuela), una música bastante floja, ninguna canción destacable... Otro paso en falso. La actriz que compartió el protagonismo con el mexicano fue la cantante española María de los Ángeles Morales, quien no pudo contribuir en exceso a que el producto final resultara llamativo.

Jorge Negrete vino a España acompañado de Gloria Marín. Se hospedaron en el Hotel Emperador, uno de los preferidos por los artistas que visitaban la ciudad. Pero, como antes dijimos, nadie se dedicó a seguir sus pasos ni a asediarle. Su vida en Madrid era tan apacible y tranquila como la de cualquier turista. Alguna que otra seguidora, enterada de su presencia, se pasaba por allí para pedirle un autógrafo, pero poco más. Bien distinto todo a su anterior visita... y no había pasado tanto tiempo desde entonces.

Cada día, después del rodaje, Jorge y unos cuantos amigos, entre los que estaba el propio Cesáreo González, se reunían en el salón del hotel para tomar unas copas y comentar las incidencias del rodaje. Allí se hablaba también de la otra película que el productor español estaba rodando, la protagonizada por María Félix. Y se hablaba, claro está, de la diva mexicana. Por entonces, la que pronto se convertiría en el gran amor de su vida, no era demasiado apreciada por Jorge Negrete, quien constantemente la criticaba y despreciaba, quizá más para contentar a Gloria que porque sintiera sinceramente ese excesivo desprecio por María. «No la quiero ni regalada», solía decir...

Finalizado el rodaje de «*Teatro Apolo*», y antes de volver a México, Jorge Negrete quiso aprovechar el viaje a España para realizar una pequeña gira por el sur del país; no le acompañaban los Calaveras, sino el Mariachi Vargas. El «bajón» que la popularidad del cantante había experimentado, unido a que no venía con su inseparable Trío, hicieron que la gira por el sur pasara sin pena ni gloria, sin grandes éxitos ni tampoco beneficios. Pudo habérsela ahorrado.

Jorge Negrete volvió a México, algo deprimido por el relativo fracaso de su nueva visita a España, pero convencido de que el descenso de su popularidad no se debía, como todos le decían una y otra vez, a su dedicación cada día más intensa a las labores sindicales de su cargo de secretario general de la Asociación Nacional de Actores de México. Y no tenía la menor intención de abandonar esa tarea.

## Capítulo XXXVIII

### — Acaba un año gris —

Jorge iba a terminar el año de 1950 con una nueva película, de nuevo con Gloria Marín como pareja, y dirigida esta vez por Emilio Fernández, «El Indio». Se necesitaba una película puramente mexicana, una de esas películas llenas de patriotismo y de amor al país (en las que «El Indio» era un especialista), y que además encerrara algunas canciones que devolvieran a Jorge Negrete el nivel de popularidad de siempre.

Su hermano David, productor del filme, llamó a Antonio Díaz Conde para hacer la música, y a Pepe Guízar y Chucho Monge para las canciones. Sólo dos canciones, «*Acuarela potosina*», del primero, y «*México lindo*», del segundo, vieron la luz y se hicieron populares entre el eterno público del Gran Charro. Y en cuanto a los actores, además de Gloria Marín, estaban allí la norteamericana Joan Page, Tito Junco, Arturo Soto Rangel y Abel López. No estaban los grandes «optimistas» que convertían las películas de Jorge Negrete en éxitos seguros, y si faltaba alguien como «El Chicote» es que la historia no era para andarse con bromas...

Porque esta vez la historia, obra del propio «Indio» Fernández en colaboración con Mauricio Magdaleno, e inspirada en el poema de López Velarde «*Suave Patria*», tampoco fue un acierto desde el punto de vista de lo que él precisaba para conseguir otro gran éxito. Era una película llena de amor a la tierra mexicana, pero esta vez no había optimismo, se dibujaba una tierra dura, amarga. La desesperación del hombre del campo que decide abandonarlo para irse a la ciudad en busca de mejores condiciones de vida, y se ve obligado a sufrir indignidades, desprecios, problemas y amarguras. Jorge Negrete y Gloria encarnaban a una pareja de pobres campesinos de Zacatecas que deciden irse a la capital. Allí, una famosa cantante gringa complicará sus vidas.

La película, una denuncia de la explotación que los humildes trabajadores del campo sufrían por parte de los grandes terratenientes y de la cada vez mayor influencia de los norteamericanos y su cultura en la vida y la cultura de México, no resultó demasiado alegre. La crítica de la época, lo mismo que el público, dejaron bien clara su opinión: era una película «agradable», pero no entusiasmante. Técnicamente bien realizada, el único actor protagonista que se salvaba por completo era él, que hizo un gran trabajo como intérprete: «Sobrio, natural, emotivo, tuvo que matizar un papel lleno de situaciones variables y dispares», dijeron de él. Pero en cambio Gloria se quedó muy cortita, resultó fría e inexpresiva, y su interpretación no satisfizo a nadie, lo mismo que la de la norteamericana Joan Page, demasiado «desagradable» incluso teniendo en cuenta que su papel era el de la «mala» de la película. Page pareció aún mucho más «mala» de lo que el director quería.

Fue, en suma, una película más de Jorge Negrete, que sirvió para concluir un año anodino pero no para devolver al Charro a su estatus de superestrella.

## Capítulo XXXIX

### — 1951: Recuperando terreno —

Por fortuna, el año 1951 las aguas empezaron a volver a su cauce. De momento, Jorge Negrete volvió a llamar a su eterno Trío Calaveras, y con él se dedicó al rodaje de una nueva película que, esta vez sí, cumplía las premisas necesarias.

Para «*Un gallo en corral ajeno*», producida como ya era habitual por David Negrete, se encargó la dirección a Julián Soler, mientras Gloria Marín volvía a ser la *partenaire* de Jorge en la cabecera del cartel, y Andrés Soler, Julio Villarreal, Eduardo Arozamena, Maruja Grifell, Alejandro Ciangherotti y Miguel Bermejo completaban el reparto. De nuevo se recurrió a Esperón y Cortázar para la música, y una canción, «*La fiesta del rancho*», conseguiría hacerse rápidamente popular. La película era, como todos querían, una comedia, inspirada en «*El ladrón de gallinas*», de Adolfo Torrado, y adaptada a la pantalla por Paulino Masip. En suma: se cuidaron al máximo los detalles y se construyó un final feliz, con el triunfo del amor, tras muchas peripecias y situaciones con gracia. De hecho, de esta historia se han hecho otras películas, la mejor de ellas «*Escuela de vagabundos*», con Pedro Infante como protagonista.

Hay que mencionar en este punto que, en numerosas ocasiones, ciertos críticos de Jorge Negrete han incidido una y otra vez en el mismo error. Se ha repetido hasta la saciedad que en esta película, «*Un gallo en corral ajeno*», «Jorge Negrete imitaba a Pedro Infante en «*Escuela de vagabundos*». Lo cierto es que la película de Pedro

Infante se rodó tres años después, en 1954, con lo cual resulta realmente difícil que Jorge pudiera imitarle, y que más bien la realidad es la inversa. Tras el rodaje de «*Un gallo en corral ajeno*», Jorge y el Trío Calaveras decidieron realizar una nueva gira; Jorge Negrete se había propuesto recuperar terreno, y estaba empezando a conseguirlo. En esta «minigira», el programa era visitar tres ciudades: Los Ángeles (California), San Antonio (Texas) y de nuevo La Habana. No hubo recibimientos multitudinarios, como años atrás, aunque la gira fue un éxito y los teatros se llenaron.

Pero él estaba necesitando más promoción para sus películas; antaño, allá donde iba los periodistas hablaban de su cine; ahora, siempre que Jorge Negrete aparecía en una noticia era para hablar de sus actividades como líder sindical, lo que le perjudicaba notablemente, aunque a él eso seguía sin importarle. Llevaba una vida agitada, cargada de problemas a causa de esa actividad paralela, y su salud empezó a resentirse. La antigua hepatitis que contrajo en su juventud, y que nunca había conseguido curarse completamente, empezó a darle problemas verdaderamente serios.

A su vuelta de la gira, inició el rodaje de una nueva película: «*Los tres alegres compadres*». De nuevo era una comedia (de hecho, a partir de este año todas las películas que hizo en adelante sólo fueron comedias, escarmentado ya de los fracasos que los temas dramáticos le brindaban una y otra vez). En esta ocasión no fue David Negrete el productor, sino Felipe Mier y Óscar J. Brooks. Tras los buenos resultados de la película anterior, la dirección se encargó de nuevo a Julián Soler, para continuar con la operación de «recuperación de terreno». Esperón era otra vez el responsable de la música, pero no estaban ahora los Calaveras, sino Cuco Sánchez, el Mariachi Vargas y Roberto G. Rivera como músicos de apoyo. Dos canciones de esta película, «*Carta a Eufemia*» y «*Juan peregrino*» sirvieron para mantener al charro cantor en buen lugar.

Esta vez compartió la cabecera del reparto con otra gran estrella del cine mexicano: Pedro Armendáriz. Además, estaban en el cartel Andrés Soler, Rebeca Iturbide, Rosa de Castilla, Wolf Rubinskis y Pancho Córdova. La película funcionó bien, y el año 1951 terminó para él bastante mejor de lo que había empezado. Pero con una nube negra en el horizonte: su salud.

### *Adiós, Gloria*

El año 1951 no iba a ser tampoco un gran año para Jorge Negrete. Su carrera había iniciado un evidente declive, debido a dos causas principales: por una parte su dedicación, cada día mayor, a ese papel de líder sindical que él mismo había querido interpretar, y que le hacía descuidar de forma muy peligrosa su carrera, y por otra parte, su cada vez más resentida salud. Los problemas de hígado se hacían más frecuentes y más serios cada día que pasaba. Pero no eran ésos los únicos problemas que tenía; su popularidad iba descendiendo, aunque lógicamente aún mantenía una legión de seguidores, pero había ya seria competencia y una nueva estrella le disputaba abiertamente el título de «rey» de la música y el cine mexicanos: Pedro Infante.

Un avispado empresario decidió aprovechar esta rivalidad para organizar una especie de «combate musical» entre ambos, cosa que los dos aceptaron. Así, se organizó en el Teatro Lírico un concierto que en realidad era un enfrentamiento entre ambos. Fue, según afirman quienes lo vieron, un duelo grandioso, pero la crítica se decantó por Pedro Infante; al fin y al cabo, era una estrella emergente, estaba de máxima moda entre el público más joven (el más fervoroso, el que promueve los tumultos), y Jorge, en el fondo, había descuidado mucho su carrera, y su público, aunque fiel, ya no era tan entusiasta como años atrás.

La cosa acabó «en tablas», pero Jorge Negrete no brilló a su altura acostumbrada. Sin duda los problemas de salud influían en su vida en aquel momento, pero también lo hacían los problemas personales. Sólo su hija, Diana, conseguía mantener su entusiasmo juvenil de siempre; lo demás empezaba a importarle bastante menos.

Ya no existía aquel amor de antaño entre él y Gloria Marín; continuaban juntos y seguían profesándose un gran afecto mutuo, pero las cosas ya no eran como antes. La separación se intuía.

Y esa separación se produjo cuando Gloria conoció a Abel Salazar. Fue en marzo de 1952, durante el rodaje de la película «*Ni pobres ni ricos*», que Gloria Marín protagonizaba junto al joven actor. Nada más acabar el rodaje, Gloria y Jorge se separaron amistosamente.

Nunca llegaron a casarse, pero habían sido felices; ahora el mundo había dado muchas vueltas y ambos buscaban otros afectos. Acabaron como amigos, y quizá fue el propio Jorge Negrete quien menos lamentó la ruptura, porque el resto del país, de forma injusta, culpó directamente a Gloria e interpretó el hecho como una «traición», cosa que él jamás llegó a decir.

La verdadera historia entre Gloria Marín y Jorge Negrete quizá jamás llegará a ser conocida por nadie, porque eran dos personas que sabían proteger su intimidad, y de hecho así lo hicieron hasta el último día de su vida en común.

Según Claudia de Icaza, autora de un libro llamado «Cartas de amor y conflicto», basado en las cartas que Jorge Negrete escribió a Gloria durante su relación, y que fueron conservadas por ésta y heredadas más tarde por su hija, las cosas entre él y Gloria no fueron como parecen por todo lo que el mundo conoció. Como ambos no llegaron a casarse nunca, porque no lo consideraron «necesario», la familia de Jorge Negrete ponía muchos reparos a Gloria, a la que nunca aceptaron como a un miembro más. Ella, por su parte, no quería unos lazos familiares más estrechos que los que ya había establecido con él, que al fin y al cabo ya tenía una hija, y Jorge aceptó esa decisión. También se dice en ese libro que la causa del distanciamiento y la separación final de ambos fue, precisamente, esa inquina que la familia Negrete tenía a Gloria desde siempre, por vivir con Jorge sin casarse, en «concubinato», algo muy mal visto en la sociedad mexicana a la que la familia Negrete pertenecía.

Jorge y Gloria adoptaron una niña, que se llamó Gloria Ramos, y a la que dieron el nombre y apellidos de su madre adoptiva, sin que su padre apareciera por parte alguna. Gloria no podía tener hijos, y Jorge aceptó adoptar esa niña entre ambos... Pero según las cartas a que nos referimos, parece que esa niña era, en realidad, una hija natural de Jorge con otra mujer, cuya personalidad jamás se ha desvelado. Gloria la aceptó, y nadie, nunca, pudo averiguar qué había de verdad en ello.

## Capítulo XL

### — Dos estrellas de la mano —

Poco después, Jorge Negrete decidió empezar a recuperar su últimamente tan maltratado optimismo. Pese a que su particular «duelo» con Pedro Infante no había sido especialmente bueno para él, aceptó sin embargo protagonizar junto a la nueva estrella una película, una obra que sería otro «mano a mano» y que esta vez, lógicamente, se convertiría en un éxito multitudinario, ya que ambos eran los dos máximos ídolos de la música mexicana y los dos divos más famosos del cine de su país.

Jorge Negrete dejó por un momento a un lado sus tareas sindicales para dedicarse a su carrera; de hecho, estaba también algo cansado de su papel de líder en ese campo, ya que había tenido que sufrir un desagradable incidente en la Asociación de Actores a causa de la actriz Leticia Palma, quien promovió un considerable escándalo que le salpicó directamente. La actriz acabó expulsada de la ANDA, pero él pasó un mal trago.

En agosto de 1952 comienza el rodaje de su película junto a Pedro Infante: «*Dos tipos de cuidado*», bajo la dirección de Ismael Rodríguez y con una producción importante y cuidada, esta vez con David Negrete como responsable de la misma. Lógicamente, se recurrió a Manuel Esperón para la música, y varias canciones de la película se hicieron instantáneamente populares en todo el país. Jorge Negrete cantó piezas como «*Quiubo*» o «*Serenata tapatía*», mientras Pedro Infante tuvo un mayor protagonismo en este campo, con canciones como «*La tertulia*», «*Fiesta mexicana*», «*La gloria eres tú*» o «*Alevántate*». Pero sin duda la canción que más gustó a casi todos fue «*Malo y Bueno*», un inolvidable dúo entre las dos estrellas.

El cartel también fue importante; junto a los dos cantantes hicieron la película José Elías Moreno, Carmen González, Yolanda Varela, Mimí Derba, Carlos Orellana y Arturo Soto Rangel. Se trataba, lógicamente, de una comedia divertida y marchosa; Jorge hacía el papel de Jorge Bueno, y Pedro era Pedro Malo. Fue la única vez que ambas estrellas aparecieron juntas en la pantalla, y fue, como era de esperar, un gran éxito comercial.

## Capítulo XLI

### — Una sorpresa llamada María Félix —

Fue un año «movido» en la vida de Jorge Negrete; dos buenas películas... y cambio de pareja. Cuentan algunos de sus amigos que cuando Jorge y Gloria rompieron su relación, éste dijo: «Ahora tengo que conquistar a la mujer más bella y hermosa del momento.» Si cuando dijo tal frase estaba pensando en María Félix o no, nadie lo sabrá nunca, pero lo cierto es que en aquel momento nadie hubiera pensado en María Félix, porque ambos, Jorge y María, se profesaban desde mucho tiempo atrás un «odio» cordial y profundo. Él decía de ella que era la persona «menos simpática» que se había encontrado nunca a lo largo de su carrera, mientras ella le dedicaba piropos tales como «soberbio», «engreído» y «fatuo».

El hecho fue que Jorge Negrete, sin más explicaciones, decidió ir a visitar a María. La estrella acababa de volver a México tras una larga gira por distintos países; se alojó en el Hotel Regis, y allí se presentó un buen día con la excusa de felicitarla por sus recientes éxitos. María le recibió por simple corrección, y pronto, según parece, el tenso y frío encuentro se convirtió en una reunión cordial. Ambos, más tarde, explicarían de forma muy similar sus sensaciones en aquel encuentro. Dijeron, cada uno, que el otro había cambiado, que ya no era la misma persona de antes. Y pocas semanas después la nueva amistad se había convertido en un tórrido romance. Él cumplió aquella promesa que se hizo a sí mismo («Ahora tengo que conquistar a la mujer más bella y hermosa del momento»...). Tal vez lo hizo para reafirmar su autoestima en aquellos malos momentos, o tal vez fue otra jugada de ese destino que tanto disfrutaba haciéndole dar insólitos bandazos en su vida personal, pero el hecho es que Jorge Negrete cumplió lo que se propuso: conquistó a «la mujer más bella y hermosa del momento», la máxima estrella femenina de México.

En los primeros meses la pareja llevó su noviazgo con mucha discreción, y sólo sus amigos más íntimos estaban enterados del asunto. De aquellos días se cuenta una anécdota que tiene su gracia: una amiga común, la actriz Andrea Palma, invitó una noche a cenar en su casa a Jorge y a María, que acudieron juntos a la cena. Las sirvientas de la actriz, al enterarse de quiénes iban a ser los ilustres invitados esa noche, estuvieron a punto de sufrir un ataque de histeria, pero «en principio» supieron controlar su nerviosismo y se dedicaron a prepararlo todo con el máximo esmero para agasajar de la mejor manera posible a tan especiales invitados. Pero cuando por fin sonó el timbre, y en el umbral estaban María y Jorge, juntos y sonrientes, las dos buenas mujeres no pudieron resistir más la emoción y cayeron, al unísono, desmayadas allí mismo, ante la hilaridad de los invitados y de su señora. Tal era el efecto que entre el pueblo mexicano hacía esta unión de los dos mayores divos del país.

Y ésa fue la impresión general cuando, pocos días más tarde, se hacía oficial el noviazgo... y el compromiso matrimonial entre ambos. Fue un terremoto nacional, tanto por lo inesperado como por la extraordinaria importancia que la pareja tenía en México.

## Capítulo XLII

### — «María bonita» —

Es el momento de hablar de la que fue el último gran amor en la vida de Jorge Negrete, aunque su felicidad durara poco. María Félix era entonces, y así sigue estando considerada hoy en día, la diosa del cine mexicano, la máxima diva de su país.

María nació en el rancho El Quiriego, en Los Álamos (Sonora), el 8 de abril de 1914. Sus padres, Bernardo Félix y Josefina Güereña, procedían de dos ámbitos bien diferentes: su padre era descendiente de indios norteamericanos, y su madre era hija de españoles, y se había educado en un convento en Pico Heights, California.

María tuvo once hermanos: Josefina, María Paz, Pablo, Bernardo, Miguel, María Mercedes, Fernando, Victoria Eugenia, Ricardo, Benjamín y María Sacramento. Pasó su infancia entre Los Álamos y El Quiriego. Le gustaba especialmente jugar con su hermano Pablo, y ambos pasaban los días haciendo cosas mucho más propias de chicos que de niñas. María prefería montar a caballo y saltar por los riscos antes que quedarse con sus hermanas jugando a las muñecas.

Su preferencia por su hermano Pablo, al que profesaba una auténtica adoración, comenzó a preocupar a su madre, que decidió enviar al muchacho a un colegio militar. Aquello sería el primer gran disgusto de María Félix en su vida, y mucho más cuando se conoció la muerte de su hermano en la escuela, en circunstancias que nunca se aclararon.

Más tarde la familia fue a vivir a Guadalajara, y María, poco a poco, se convirtió en una belleza espectacular, hasta el punto de que fue «coronada» como Reina de la Belleza por los alumnos de la Universidad de Guadalajara y paseada en una espléndida carroza por las calles de la ciudad durante las fiestas. Eso la entusiasmó, y se propuso sacarle el máximo jugo a los encantos con que el cielo la había distinguido.

Aún muy joven, y cansada de la disciplina que su padre le imponía, aceptó casarse con un joven adinerado, Enrique Álvarez, pero esa unión, provocada por su ansia de libertad y no por el amor que pudiera sentir por el muchacho, duró muy poco. María Félix era una joven con una voluntad férrea, un carácter cada día más formado y una personalidad evidentemente fuerte. Se fue a vivir a México, y allí, un buen día, un desconocido la abordó en la calle para ofrecerle una prueba para el cine. El desconocido era Fernando Palacios, que en aquel momento estaba buscando nuevas caras para algunos de los mejores productores y directores del país. En un primer momento María Félix no lo tomó en serio, pensando que se trataba de un donjuán que estaba intentando conquistarla, pero poco a poco el desconocido consiguió convencerla y ella aceptó. Su vida cambió en ese momento.

Su carrera en el cine se iniciaría poco después, y no como una «segundona» puesta a prueba, sino con un papel estelar. La primera película para la que fue contratada era «*El peñón de las ánimas*», junto a Jorge Negrete, en aquel momento la máxima estrella del país. Corría el año 1941 y él acababa de obtener un triunfo resonante con «*¡Ay, Jalisco, no te rajes!*»... María Félix tenía veintiséis años y en ese momento iniciaba una carrera que la convertiría en la máxima diva de México.

El rodaje de «*El peñón de las ánimas*» no fue para ella un camino de rosas; de entrada, a Jorge Negrete le cayó mal, le pareció antipática y fría, y el trato entre ambos no fue muy amigable. Ella le pidió un día que le firmara el libreto, y él se negó. A partir de ese momento, como ya hemos contado en otra parte de este libro, nació entre ellos una profunda enemistad que duraría toda una década.

En los años siguientes María Félix vivió otros tres matrimonios; tras divorciarse de Enrique Álvarez se casó con Agustín Lara, unión que duró de 1943 a 1947; más tarde, en 1952, con Jorge Negrete y, tras la muerte de éste al año siguiente, tiempo después lo haría con Alex Berger. Se dice, aunque probablemente se trata más de una simple leyenda que de algo real, que en un intervalo entre estos matrimonios estuvo casada también, durante un breve tiempo, con Raúl Prado, uno de los miembros del Trío Calaveras. Pero es más que posible que tal cosa no sea más que parte de la leyenda que la diva siempre creó a su alrededor... y en la que a cualquier implicado en ella le gusta estar. Así es que nadie, ni ella ni el Raúl, desmintieron ni confirmaron nunca el asunto.

A lo largo de su carrera llegaría a filmar cuarenta y siete películas, trabajando con algunos de los actores más importantes del mundo en la época, y no sólo de habla castellana: Vittorio Gassman, Yves Montand, Gerard Philippe, Curd Jurgens, Pedro Armendáriz, Fernando Rey, Fernando Fernán Gómez, Jorge Mistral, Arturo de Córdova, el Indio Fernández... y, por supuesto, con Jorge Negrete.

La carrera de María Félix en el cine a partir de «*El peñón de las ánimas*» fue espectacular y meteórica. Cuando en 1943 rodó «*Doña Bárbara*», críticos y público empezaron a coincidir en una cosa: María se «fundía» con sus personajes. Se decía, y se dijo ya siempre de ahí en adelante, que la actriz se integraba tanto en su personaje que lo convertía en ella misma, hasta el punto de que «se interpretaba a sí misma» en cada filme. Y por eso, porque su personalidad era tan enorme, en opinión de algunos especialistas los guionistas empezaron a escribirle los personajes exactamente a su medida, lo mismo que los directores trataban de dirigirla a ella, y no al personaje, tratando de extraer «la ficción de la realidad».

María Félix, «María Bonita» como la llamaban todos, nunca quiso hacer cine en los Estados Unidos; prefería trabajar en Europa, donde llegaría a hacer películas tan famosas como «*French Can-Can*», de Jean Renoir, o trabajar en su propio país, donde era una auténtica diosa. Su última película fue «*La generala*», rodada en 1970, y se retiró del cine. Tras su retiro se la relacionó con varios proyectos importantes, pero nunca aceptó ninguno.

Participaba con cierta asiduidad en grandes shows de la televisión mexicana, concedía contadísimas entrevistas y dedicaba buena parte de su tiempo a la pintura, a la que fue una gran aficionada, llegando a poseer importantes colecciones que viajaron por numerosos museos de Europa y América. A finales de 1998, sin embargo, sorprendió a todos al grabar un disco, «*Enamorada*», que hizo como favor a un amigo y que ella se tomó más como una anécdota que como algo serio.

En marzo de 2002 su salud estaba ya muy resentida, y la televisión le dedicó dos interesantes documentales en los que se mostraban al mundo su vida y su leyenda. Ella misma colaboró abiertamente a la realización de estos dos documentos biográficos, y quizá intuyendo que ya le quedaba muy poco tiempo, utilizó este vehículo para «despedirse» de todos cuantos la habían querido en su vida. Al final de uno de estos documentales, María aparece en penumbra, cuando creía que el cámara no estaba filmándola. Estaba cantando entre dientes una canción que nunca olvidó, una canción que adoraba. La letra decía: «Acuérdate de Acapulco, de aquellas noches, María bonita, María del alma...». La canción que Jorge le cantó en su luna de miel.

## Capítulo XLIII

### — La despedida de soltero —

Pero volvamos a nuestra historia. Varios amigos de Jorge Negrete le organizaron una «despedida de soltero» acorde con la importancia del evento. La fiesta se celebró en el Salón Versalles, y a ella acudieron numerosos personajes muy populares del cine mexicano; todos, naturalmente, hombres. Allí estaban, junto con los mejores amigos de Jorge Negrete, Antonio Badú, Rodolfo Landa, Miguel Torruco, Gabriel Figueroa y el popular enanito «Tun Tun». Durante la cena, Jorge observaba a Tun Tun y sus problemas para alcanzar el plato, ya que no le habían colocado una silla a su altura y daba con la barbilla en la mesa. Se levantó de su asiento, tomó a Tun Tun en brazos y entre la hilaridad general dijo mientras le daba un vaso de whisky a guisa de biberón: *«Este hijo mío, aunque un poco "pervertido", también tiene derecho a ver lo que nos han puesto en la mesa. ¡Y a bebérselo...!»*

Fue una fiesta divertida en la que el Gran Charro se mostró ante sus amigos como un hombre de nuevo feliz, que había dejado atrás los recientes malos tragos y que estaba recuperando a toda velocidad la seguridad en sí mismo, la tranquilidad de espíritu y la felicidad. Les dijo a sus amigos: *«Ahora sí he logrado el amor de mi vida. He encontrado en María todo lo que anhelé siempre: amor, comprensión y reciprocidad en el cariño.»* Pero a uno, Gabriel Figueroa, en un aparte le dijo una frase que sería terriblemente premonitoria: *«Con este casamiento inicio una nueva vida, que espero que me dure hasta la muerte...»*. Nadie sabía en aquel momento lo terriblemente cerca que tal desenlace estaba.

### *«Tal para cual»*

Durante 1952 Jorge hizo aún otra película, antes de cambiar de vida. Fue «*Tal para cual*», dirigida por Rogelio A. González y producida por los mismos artífices de su película anterior «*Dos tipos de cuidado*», Óscar J. Brooks y Felipe Mier. De nuevo estaba ahí el Trío Calaveras, también la música era de Manuel Esperón e igualmente se respiraba optimismo por todas partes. La película incluía más canciones que nunca: tres de Esperón y Cortázar (*«Palomitas blancas», «Tal para cual»* y *«A ver qui pasa»*), y temas de Mario Talavera (*«Gratia plena»*), Salvador Flores (*«El chorro de voz»*), Federico Curiel (*«Ay, mis locas»* y *«Ojitos negros»*), José Alfredo Jiménez (*«Guitarras de medianoche», «Tu recuerdo y yo»* y *«El mala estrella»*), y una del propio Jorge Negrete: *«Si tú te enamoras»*.

Además del Trío Calaveras, otros grupos importantes y famosos participaron en la película: el Trío Tamaulipeco de los hermanos Samperio, el Trío Los Mexicanos, las Tres Conchitas y el Trío Ascensio. Todo un espectáculo musical cuidado al máximo.

La película era, por supuesto, una comedia en la que hacía un papel a su altura, un personaje simpático y vitalista, «como en los viejos tiempos». Junto a él, un reparto de categoría que encabezaban María Elena Marqués, Luis Aguilar, Rosa de Castilla, Queta Lavat, Ana María Villaseñor, Georgina González, Lupe Carriles, Armando Arriola y Rafael García. El filme, naturalmente, fue un éxito que permitió a Jorge recuperar su fe en sí mismo y su optimismo natural al completo. Las cosas de nuevo empezaban a presentarse bien.

## Capítulo XLIV

### — Una boda muy sonada —

El 18 de octubre de 1952 fue el gran día. El día de una de las bodas más sonadas que nunca se hayan celebrado en México.

La ceremonia se celebró en Catipoato, finca cercana a la ciudad y residencia de María Félix. Pero María no estaba allí, sino que se vistió y preparó en un hotel de la ciudad, para desde allí dirigirse al lugar de la ceremonia. Grande fue su sorpresa cuando comprobó que, en la calle, miles de personas hacían prácticamente imposible dar un paso. María debía llegar a Catipoato a la una y media de la tarde, pero no podía salir del hotel. Por fin, con hora y media de retraso, la policía consiguió «abrirle un camino» hasta el coche, y María Félix pudo finalmente dirigirse a su finca. De camino, en la Avenida de los Insurgentes, Jorge Negrete la alcanzó, y llegaron juntos, con dos horas de retraso.

Y al llegar, nuevo tumulto. La finca estaba literalmente rodeada por miles de personas que querían ver de cerca a las dos estrellas. Conseguir entrar fue otro triunfo. Y una vez dentro, otra multitud les esperaba, pero esta vez una muy selecta multitud formada por las personalidades y personajes más importantes y famosos del país: medio mundo del cine estaba allí, junto con una pléyade de cantantes famosos, políticos, diplomáticos, artistas... y, por supuesto, innumerables periodistas. Fue, de hecho, el mayor acontecimiento social vivido en México en muchos años.

La ceremonia la ofició el juez don Próspero Olivares Sosa, y una vez terminada los invitados prácticamente se abalanzaron sobre la pareja para felicitarles. Tantas muestras de cariño, besos, abrazos y empujones dejaron a Jorge y María doloridos.

Poco después de las cinco de la tarde, la pareja pudo por fin marcharse, mientras varias actrices famosas perseguían el coche cubriéndolo de arroz. Durante las semanas siguientes las revistas de México y de medio mundo de habla castellana apenas si hablaron de otra cosa.

La pareja se fue a pasar su luna de miel a Acapulco, donde por fin consiguieron un poco de intimidad y aislamiento. Cuentan sus amigos que allí, por fin, María Félix consiguió que Jorge Negrete le firmara el libreto de la película en la que años antes trabajaron juntos, «*El peñón de las ánimas*», que él, en su momento, se había negado a autografiarle a causa de la gran bronca que ambos tuvieron y que fue el origen de la animosidad entre ambos que tanto tiempo había durado. Gloria había guardado aquel libreto, hasta que consiguió lo que en su momento se propuso.

## Capítulo XLV

### — Una vida feliz —

La vida en común entre Jorge Negrete y María Félix fue feliz hasta el terrible momento en que él murió. Aquel deseo expresado a Gabriel Figueroa durante su despedida de soltero (*«Inicio una nueva vida, que espero que me dure hasta la muerte»*) se hizo realidad. Jorge y María eran felices y vivían unidos. Cuando ella, poco después de terminar la luna de miel, comenzó el rodaje de la película «*Camelia*», él iba a llevarla cada mañana a los estudios, y cada tarde acudía a recogerla.

Jorge Negrete llevaba por entonces una vida más tranquila, pero ello se debía sobre todo a que su salud iba empeorando con el paso de los meses. No obstante, no dejaba de trabajar para la ANDA y también colaboraba en cuanto proyecto benéfico le era posible. Así, cuando en 1953 Jorge Vidal, en aquel momento presidente de la Asociación de Periodistas Cinematográficos Mexicanos, le propuso coproducir con ellos una película, «*Reportaje*», aceptó. Los fondos que se obtuvieran se destinarían a las prestaciones sociales de la Asociación y a la construcción de la Clínica de los Actores. Trabajó con entusiasmo en el proyecto, y entre él y Jorge Vidal consiguieron que innumerables estrellas y actores populares de México participaran desinteresadamente en la original cinta.

El director de «*Reportaje*» fue Emilio «Indio» Fernández, y Jorge Negrete y María Félix participaron en uno de los episodios de la película, el sexto. Sólo hubo una canción, «*La que se fue*», pero es que no se trataba de un musical.

La película fue un enorme éxito de taquilla, simplemente por el universo de estrellas que encerraba. Algo semejante a lo que se haría en Hollywood con Mario Moreno «Cantinflas» en «*Pepe*».

## Capítulo XLVI

### — La última película del Gran Charro —

Y 1953 sería el año en que Jorge Negrete rodaría su última película. Esta película fue «*El Rapto*», dirigida de nuevo por Emilio «Indio» Fernández, con la música de su eterno compositor, Manuel Esperón, y en la que se incluyeron algunas canciones nuevas y otras ya conocidas, como «*Ojos tapatíos*», «*El jinete*», «*Las mañanitas*», «*Ahí no más*» o «*Jarabe tapatío*».

En el reparto le acompañaban María Félix, Andrés Soler, José Ángel Espinosa, Beatriz Ramos, Emma Roldán y Manuel Noriega. Fue una comedia ranchera, en la que apenas el público pudo notar que la salud del artista estaba ya muy resentida. El maquillaje, las innumerables repeticiones que hubo que hacer de determinadas secuencias y la eterna vitalidad del mexicano, que no quería permitir que nadie se diera cuenta de lo terriblemente grave de su enfermedad, hicieron que casi nadie se diera cuenta de que el Gran Charro estaba llegando al final de su camino. Porque Jorge Negrete ya no tenía una simple hepatitis, sino que su larga dolencia había derivado en cirrosis, y ya no había vueltas atrás.

Cuando comenzó el rodaje de «*El Rapto*» ya sabía lo que le esperaba, y sin embargo siguió adelante. Pocas semanas antes había hecho una visita al presidente de la República, Adolfo Ruiz Cortines, reunión en la que se encontraba presente uno de los más ilustres médicos mexicanos, el doctor Norberto Treviño Zapata, a la sazón también político. Cuando el doctor le vio, se acercó a él para sugerirle:

«Debe usted, señor Negrete, someterse inmediatamente a un detenido examen médico. Y es muy importante que lo haga.» Jorge Negrete accedió y acudió al hospital, donde el diagnóstico fue demoledor: cirrosis hepática.

En aquel momento, esa enfermedad no tenía ningún tipo de cura. Sabía que su destino estaba escrito, y que nada podía hacer por luchar contra él, así que decidió seguir como si no pasara nada mientras le quedara vida. Los médicos le prohibieron taxativamente hacer ningún esfuerzo, le ordenaron que guardara absoluto reposo, pero él lo ignoró. Sabía que ya nada podía cambiar su destino, y no pensaba pasar los últimos meses de su vida en una lenta y desesperante agonía. Por eso, aceptó hacer su última película. Y por eso, ver hoy «*El Rapto*» resulta impresionante: la interpretación de un hombre que sabía que la muerte estaba ahí, a su lado, pero que tuvo el suficiente valor como para ignorarla.

Era la cuarta semana de rodaje, corría el mes de junio de 1953, y durante la filmación de una escena Jorge Negrete se desmayó y cayó de su caballo. Todo el mundo le pidió que dejara el rodaje y se fuera a casa, pero no hubo forma de convencerle.

Al terminar la película, fue ingresado en la Central Quirúrgica, donde se le obligó a guardar absoluto reposo. Pero un día se enteró de que María Félix estaba enferma, y en cuanto llegó la noche se levantó y se marchó a Catipoato para verla.

Aquella imprudencia tuvo serias consecuencias, ya que, al día siguiente, a su enfermedad se le unió una bronconeumonía. Fue de nuevo ingresado en la Central Quirúrgica, donde el Gran Charro dejaba pasar melancólicamente las horas, acompañado siempre por su hermano David, que no se separaba de él. Y desde allí seguía trabajando para su Asociación, recibiendo visitas y tratando de exprimir hasta la última gota de lo poco que le quedaba de vida.

## Capítulo XLVII

### — El último contrato, el último viaje —

Y entonces, un empresario norteamericano, Frank Fauce, viejo amigo y enterado de lo que le ocurría a Jorge Negrete, le ofreció un contrato para el Teatro Million Dollar, de Los Ángeles. Para unos fue una canallada; para otros, entre ellos el propio Jorge, un bello gesto. Porque él decidió aceptarlo, sabiendo perfectamente que sería su último viaje, su último contrato y su última actuación. Fauce ofreció a Jorge Negrete la oportunidad de «morir con las botas puestas», como el Gran Charro que siempre había sido, en lugar de hacerlo en una triste cama de hospital, esperando ese último día entre lamentos y lágrimas. Por eso, a nadie extrañó que Jorge Negrete acogiera aquella oferta con lo poco que le quedaba de entusiasmo y de vitalidad.

De esta forma, el 21 de noviembre de 1953 Jorge Negrete llegó a Los Ángeles. En el aeropuerto le esperaban mariachis, un detalle de su viejo amigo, cosa que le llegó al corazón. Naturalmente, lo primero que le preguntaron los periodistas fue cómo se sentía, a lo que él contestó: «Mejor, ya muy mejorado...».

Pero él no llegaría a poder realizar aquella última actuación ante su público. Nada más llegar al Hotel Statler, donde iba a hospedarse esos días, empezó a sentirse mal, por lo que se fue a la habitación y se acostó. Apenas podía dar un paso. Y pocas horas después, al amanecer del domingo, hubo que avisar urgentemente al médico, el doctor Prizmendal, porque acababa de sufrir una seria hemorragia. El médico ordenó su traslado inmediato al Hospital Cedros del Líbano, en cuya habitación 506 pasaría Jorge Negrete las últimas horas de su vida. Su estado era ya terminal, y había comenzado una lenta y terrible agonía que ya nadie podía aliviar. Él lo sabía, y mandó llamar a su hermano David y a su médico, el doctor José Kaim, pero ordenando explícitamente que sólo ellos supieran cuál era su estado, sin que bajo ningún concepto se avisara a su madre ni a su mujer, que en ese momento estaba en Francia rodando una película e ignoraba totalmente lo que estaba pasando.

El lunes, Jorge Negrete estaba gravísimo, pero aun así quiso escribir de su puño y letra una carta para el público que esa noche debería haberle visto en el teatro. En esa carta, se disculpaba por no poder cumplir su compromiso y terminaba diciendo: *«Espero que en otra ocasión pueda actuar para ustedes.»* La carta fue ampliada y colocada en las carteleras del teatro. Y toda la prensa dio la noticia. María Félix, que se encontraba en Francia rodando la película «*La bella Otero*», supo en ese momento lo que estaba ocurriendo con Jorge, que poco después la llamaba por teléfono tratando de tranquilizarla y asegurándole que no era necesario que volviera de Europa, que estaba mejorando y que no iba a ocurrir nada. Pero ella, naturalmente, salió de inmediato para América.

## Capítulo XLVIII

### — La despedida —

Su agonía se prolongó varios días; el sábado 28 María Félix llegó de París y se fue directamente al hospital. Justo a tiempo, porque poco antes Jorge Negrete tuvo una nueva hemorragia y había entrado en coma. Al llegar María, los médicos le informaron del estado de su marido y le pidieron que tratara de hablar con él, para comprobar si se producía alguna reacción. Se acercó a la cama y le gritó con todas sus fuerzas: «¡Jorge, Jorgito, amor mío, aquí estoy!»... y en ese momento él abrió los ojos, miró a María y le dijo: *«Te saliste con la tuya... Te dije que no vinieras, si no tengo nada... ¿Lo ves?»*

El lunes llegaron su madre y su hermana Consuelo, avisadas por David. No había ninguna esperanza, y así se lo hicieron saber los médicos. Sólo quedaba acompañar al Gran Charro en sus últimas horas de vida.

Y el sábado 5 de diciembre de 1953, a las once cuarenta y cinco, Jorge Negrete murió. Fue trasladado a la funeraria O'Connor, y allí se instaló la capilla ardiente. A lo largo de la noche, más de diez mil seguidores de el Gran Charro acudieron a darle su último adiós.

*«México lindo y querido, si muero lejos de ti, que digan que estoy dormido y que me traigan aquí»...* Y naturalmente Jorge Negrete volvió a México. La Asociación Nacional de Actores, por la que tanto había trabajado, fletó un avión especial para trasladar su cuerpo desde Los Ángeles. En la sede del Sindicato, en el auditorio, se instaló

de nuevo la capilla ardiente, para que el Gran Charro recibiera la despedida de su país. El ataúd en que se trasladó el cuerpo de Jorge Negrete a México se conserva hoy en el Lote de Actores del Panteón Jardín.

Su muerte fue una auténtica tragedia nacional. Docenas de miles de personas acudieron a acompañarle en su último viaje hasta el Panteón Jardín, donde recibió sepultura en la tarde del 8 de diciembre, una tarde gris, lluviosa, triste, especialmente sombrío para todo un país y para millones de seguidores del gran cantante en todo el mundo.

Hoy, Jorge Negrete tiene su propia calle en la capital de México y una estatua en la plaza Garibaldi. La calle escogida para que llevara su nombre fue la de Altamirano, en la Colonia de San Rafael, donde también están su teatro y la Asociación. Fue el mejor líder que tuvo la Asociación Nacional de Actores y fue el mejor cantante de la historia de México.

# SEGUNDA PARTE
## Sus películas

En este apartado incluimos las fichas técnicas de todas las películas rodadas por Jorge Negrete, así como una breve sinopsis de su contenido.

**Título:** *La madrina del diablo* / **Título en inglés:** *The Devil's Godmother*

**Año:** 1937.
**Director:** Ramón Peón.
**Producción:** Gonzalo Varela.
**Fotografía:** Alex Phillips.
**Guión:** Manuel Payrón; adaptación de Ramón Peón.
**Música:** Max Urban.
**Canciones:** Manuel Sereijo.
**Intérpretes:** Jorge Negrete (Carlos Durango, *El Diablo*), María Fernanda Ibáñez (María de los Ángeles), Consuelo Segarra (doña Clotilde), María Calvo (Madre superiora) Miguel Manzano (Felipe), Ramón Pérez Díaz (don Porfirio, padre de María), María Castañeda (doña Lupe), Alfonso Bedoya (bandolero).

**Sinopsis:** Jorge Negrete es un famoso barítono que debuta en una versión de «Don Juan Tenorio», adaptada al México del siglo XIX. La historia es más truculenta que la obra original, y en esta ocasión la heroína, encerrada en un convento por su padre, acaba asesinada tras muchas peripecias a lo largo de las cuales el novio, Jorge Negrete, se ve injustamente acusado de delitos que no cometió...

La actriz protagonista, María Fernanda Ibáñez, era hija de la también actriz Sara García, y corrieron rumores de que ésta se opuso firmemente a un supuesto idilio que surgió entre su hija y él... María Fernanda, como la heroína del filme, también moriría muy joven, a causa de unas fiebres.

**Título:** *La Valentina* / **Título en inglés:** *La Valentina*

**Año:** 1938.
**Director:** Martín de Lucena.
**Ayudante de dirección:** Roberto Gavaldón.
**Producción:** Atlántida Films, Gonzalo Varela.
**Fotografía:** Jack Draper.
**Guión:** Angel Rabanal y Antonio Martínez Quétara; adaptación de Martín de Lucenay.
**Música:** Max Urban.
**Canciones:** Armando Cornejo («Bandolero del amor», «Ventanita iluminada», «La recua»); Anónimo: «La Valentina».
**Intérpretes:** Jorge Negrete (El Tigre), Esperanza Baur (Valentina), Raúl de Anda (Miguel), Paco Astol (Celedonio), Pepe Martínez (Hilario), Roberto Palacios (don Fructuoso), Sofía Haller (Lucía), David Valle González (Pancho, tendero), Elisa Christy.
**Duración:** 62 minutos. Blanco y negro.

**Sinopsis:** Melodrama ranchero escasamente origional, en el que un charro (Miguel) y un general revolucionario del ejército de Pancho Villa (*El Tigre)* se disputan el amor de la bella Valentina. La película fue un fracaso en taquilla, y según la crítica ello se debió a que el guión era muy poco original, anodino y aburrido. La protagonista, Esperanza Baur, se convertiría más tarde en esposa de John Wayne.

**Título:** *Caminos de ayer (La mano de Dios)* / **Título en inglés:** *Yesterday Road (The Hand of God)*

**Año:** 1938.
**Director:** Quirico Michelena; ayudante de dirección: Roberto Galvaldón.
**Producción:** CIFESA, José Masip.
**Fotografía:** Agustín Jiménez.
**Música:** Luis Mendoza López.
**Canciones:** Gonzalo Curiel («Caminos de ayer»), Pepe Guízar («Guadalajara»).
**Músicos:** Pepe Guízar, Guadalupe La Chinaca.
**Guión:** Quirico Michelena.
**Intérpretes:** Jorge Negrete (Roberto Mendoza), Carmen Hermosillo (Estela), Eduardo Arozamena (Stefano Mascagnini), Victoria Argota, Amelia Wilhelmy (*La Chispa*), Eusebio Pirrin *Don Catarino* (limpiabotas), Manuel Noriega (policía).
**Duración:** 100 minutos. Blanco y negro.

**Sinopsis:** Melodrama que bordea la tragedia griega, ya que el guión de Michelena salió excesivamente «terrible». Tras una noche de borrachera, tres amigos secuestran a un joven inocente. Ésta, con los ojos vendados, será violada por uno de ellos. El violador fue Jorge Negrete, quien en realidad no era un mal chico y que al día siguiente ya estaba arrepentido de su desmán y dispuesto a reparar el daño cometido. La joven Estela da a luz un niño. Tiempo después, Jorge Negrete, convertido en un cantante famoso, reencontrará a Estela y se casará con ella tras confesar que fue él quien la violó. Todo acaba bien, pero tras mucho sufrimiento.

**Título:** *Perjura* / **Título en inglés:** *Perjurer.*

**Año:** 1938.
**Director:** Raphael J. Sevilla.
**Producción:** CISA, Pedro Maus, Felipe Mier.

**Fotografía:** Víctor Herrera.
**Guión:** Guz Aguila; adaptación de Marco Aurelio Galindo.
**Script:** Salvador Novo.
**Vestuario:** El Palacio de Hierro.
**Escenografía:** Fernando A. Rivero y Roberto Montenegro.
**Música:** Manuel Castro Padilla.
**Canciones:** «Perjura», «Las violetas» (Miguel Lerdo de Tejada).
**Intérpretes:** Jorge Negrete (Luis Espinosa), Marina Tamayo (Mercedes), Sara García (doña Rosa, madre de Carmen y Mario), Carlos López Moctezuma (Mario), Elena D'Orgaz (Carmen), Luis G. Barreiro (Octavio), Manuel Arvide (capitán Reyes), Eduardo Arozamena (don Gonzalo, padre de Mercedes).
**Duración:** 98 minutos. Blanco y negro.

**Sinopsis:** De nuevo un melodrama, esta vez ambientado a principios del siglo XX. Sara García, doña Rosa, hace el papel de una señora de la alta sociedad que trata de casar a su hijo, Jorge Negrete, que acaba de llegar de Francia, con la hija de un rico hacendado. Pero él ama a otra desde niño, y se niega. Mercedes, la amada de Jorge, es chantajeada por la madre de éste, doña Sara, a fin de que renuncie a él, y si no lo hace, su padre perderá cuanto tiene. La película, pese a su trama notablemente enrevesada, fue un gran éxito de taquilla.

**Título:** *¡Aquí llegó el Valentón! (El fanfarrón)* / **Título en inglés:** *Here Came El Valenton (The Braggart)*

**Año:**1938.
**Director:** Fernando A. Rivero.
**Producción:** Cinematográfica Plus Ultra, Gonzalo Varela.
**Fotografía:** Jack Draper.
**Guión:** Adolfo León Osorio; adaptado por Emilio Fernández y Fernando A. Rivero.
**Música:** Manuel Esperón.
**Canciones:** Manuel Esperón («¡Ay, caray!», «Llegó el fanfarrón»).

**Actores:** Jorge Negrete (Alberto Fallardo), María Luisa Zea (María Luisa), Madga Haller (Guillermina), Emilio Fernández (Juan José *El Aguilucho*), Armando Soto La Marina *El Chicote* (secretario de Alberto), Arturo Manrique *Panseco*, Arturo Soto Rangel (don Justino), Pedro Galindo.
**Duración:** 92 minutos. Blanco y negro.

**Sinopsis:** En esta película Jorge Negrete hace el papel de un odioso hacendado que secuestra a la heroína y hace la vida imposible a un bandido que, curiosamente, en esta ocasión es el bueno de la historia. Jorge juró, tras finalizar el rodaje, que jamás volvería aceptar un papel de villano, y así lo hizo. La película tardó cinco años en estrenarse, precisamente por el miedo a la reacción del público, que finalmente, tras el estreno, no la acogió con los brazos abiertos. Jorge Negrete dijo que ésta fue la peor película de toda su carrera, y probablemente tenía razón.

**Título:** *Juan sin miedo* / **Título en inglés:** *Fearless Juan*

**Año:** 1938.
**Director:** Juan José Segura.
**Producción:** Alfonso Sánchez Tello.
**Fotografía:** Jack Draper.
**Música:** Ernesto Cortázar y Pedro Galindo.
**Canciones:** Alfonso Esparza Oteo, Joaquín Pardave, Pedro Galindo, Agustín Ramírez, Alfredo D'Orsay, Guillermo Bermejo.
**Músicos:** Trío Tariácuri, Las Serranitas, Trío Los Plateados, Trío Ascensio-Del Río.
**Intérpretes:** Juan Silveti (interpretándose a sí mismo), Jorge Negrete (Juanito), María Luisa Zea (Amparo), Emilio Fernández (Valentín), Armando Soto La Marina *El Chicote* (Canicas), María Porrás (*Chachita*), Jorge Marrón (don Pancho), Enrique Cancino.
**Duración:** 69 minutos. Blanco y negro.

**Sinopsis:** Silveti (torero en la película y en la vida real) se opone a que su hijo Juanito siga sus pasos. Un día, Juanito, acusado del asesinato de la amiga de su padre, tiene que «desaparecer» hasta que el verdadero culpable es descubierto. Finalmente, todo se arregla y el joven consigue por fin hacer lo que le gusta: torear. Una película que incluyó un buen número de canciones para el lucimiento de Jorge Negrete, y que obtuvo buenos resultados en taquilla.

**Título:** *Juntos pero no revueltos* / **Título en inglés:** *Together but Not Mixed*

**Año:** 1938.
**Director:** Fernando A. Rivero.
**Producción:** Alfonso Sánchez Tello.
**Fotografía:** Jack Draper.
**Guión:** Ernesto Cortázar; adaptación de Fernando A. Rivero.
**Música:** Manuel Esperón.
**Canciones:** Pedro Galindo, José de la Vega, Eliseo Grenet.
**Intérpretes:** Jorge Negrete (Rodolfo del Valle), Rafael Falcón (Carlos), Susana Guízar (Esperanza Robles), Lucha María Ávila (Luchita), Armando Soto la Marina *El Chicote* (*El Salpicaderas*), María Porrás (doña Paz), Agustín Isunza (abogado), Hernán Vera (zapatero), Manuel Esperón (Marino Esperoff), Jorge Treviño (Pietro Martinini), Arturo Manrique *Panseco* (el profesor), Irving *Mister* Lee (mendigo), Elisa Christy (Norma), Virginia Serret (Raquel), Miguel Inclán (coronel Sisebuto Corrales), José Arias (gendarme); Guadalupe del Castillo (La Rorra), Laura Marín (La Beba), Josefina Betancourt (La Nena), Cliff Carr (turista), Emile Egert (turista), Jorge Marrón (tío de Esperanza), Arturo Soto Rangel (juez), Juan García Esquivel (pianista).
**Duración:** 103 minutos. Blanco y negro.

**Sinopsis:** La película es una comedia de situación que reúne a un buen número de personajes pintorescos, todos ellos habitantes de un mismo edificio. Jorge Negrete interpreta el papel de un cantante de ópera al que rechazan una y otra vez por estar demasiado anticuado. Pero este argumento, sin embargo, causó sensación al incluir un elemento completamente inusual para la época: aquí, Jorge se casa con una mujer que tiene un hijo de otro hombre, y lo acepta como suyo. Cosa que, en el México de aquel momento, era algo casi impensable.

**Título:** *El cementerio de las águilas* / **Título en inglés:** *The Cemetery of the Eagles*

**Año:** 1938.
**Director:** Luis Lezama.
**Producción:** Aztlán Films, Jesús M. Centeno.
**Fotografía:** Ezequiel Carrasco.
**Guión:** Íñigo de Martino y Alfredo Noriego; adaptación de Rafael M. Saavedra. Asesor militar: teniente coronel Pedro Mercado C.
**Música:** «Una palabra, una oración», de Alfonso Esparza Oteo.
**Intérpretes:** Jorge Negrete (Miguel de la Peña), Margarita Mora (Mercedes), Celia D'Alarcón (Ana María), José Masip (Agustín Melgar), Adela Jaloma (Elvira).
**Duración:** 94 minutos. Blanco y negro.

**Sinopsis:** Esta película está dedicada a los niños héroes de Chapultepec, protagonistas de un episodio histórico impresionante, ocurrido durante el asalto de los norteamericanos en 1847, y en el que muchos cadetes del Colegio Militar murieron por su valeroso comportamiento. Aquí, Jorge Negrete interpreta el papel de uno de aquellos jóvenes, superviviente de la masacre.

**Título:** *Una luz en mi camino* / **Título en inglés:** *A Light on my Path*

**Año:** 1938.
**Director:** José Bohr.
Esta película se hizo a beneficio del actor ciego Joaquín Busquets. No tuvo argumento, y se limitaba a mostrar, uno tras otro, a un gran número de estrellas que colaboraron en este homenaje, con breves

apariciones a lo largo de la cinta, que puede considerarse más un documental curioso que una película al uso.

**Título:** *Noches de Cuba (Rhumba Rhythm)* / **Título en inglés:** *Cuban Nights*

**Año:** 1939.
**Intérpretes:** Jorge Negrete, Ramón Armengod.

Tampoco esta película puede considerarse como tal, ya que se trata de una especie de «video clip» (de la época) en la que solamente aparecen números musicales y de baile. Algo así como un breve documental musical «de prueba» que Jorge Negrete y su amigo Armengod rodaron en 1939 para la Fox, en Hollywood. Filmada en color.

**Título:** *Ay, Jalisco, no te rajes* / **Título en inglés:** *Ay, Jalisco, Don't Back Down*

**Año:** 1941.
**Director:** Joselito Rodríguez.
**Producción:** Rodríguez Hermanos.
**Fotografía:** Alex Phillips.
**Guión:** Basado en la novela de Aurelio Robles Castillo. Adaptación de Joselito, Roberto e Ismael Rodríguez, y Luis López Solares.
**Música:** Manuel Esperón.
**Canciones:** «Ay, Jalisco, no te rajes», «Traigo un amor», «Fue casualidad», de Manuel Esperón y Ernesto Cortázar.
**Músicos:** Lucha Reyes, Trío Tariácuri, Trío del Río.
**Intérpretes:** Jorge Negrete (Salvador Pérez Gómez *El Ametralladora*), Gloria Marín (Carmen Salas), Carlos López *Chaflán* (interpretándose a sí mismo), Víctor Manuel Mendoza (Felipe Carvajal), Ángel Garasa (*Malasuerte*), Antonio Bravo (*Radilla*), Evita Muñoz (*Chachita*), Miguel Inclán (*El Chueco*), Arturo Soto Rangel (Salas), Manuel Noriega (inspector), Antonio Badú.

**Duración:** 120 minutos. Blanco y negro.

**Sinopsis:** Una historia con nutridos ingredientes, en los que se mezclan la comedia, el amor, la aventura, la venganza y la música. Jorge Negrete interpreta a Salvador Pérez Gómez *El Ametralladora*, quien de niño perdió a sus padres asesinados en misteriosas circunstancias, y cuyos asesinos nunca fueron descubiertos. Ya adulto, Salvador decide encontrar a los culpables y vengar su muerte. Pero se enamorará de la heroína, Carmen, y la cosa se complicará hasta llegar a un final sorprendente, cuando descubre quién fue el asesino de sus padres.

**Título:** *Seda, sangre y sol* / **Título en inglés:** *Silk, Blood and Sun*

**Año:** 1941.
**Director:** Fernando A. Rivero.
**Producción:** José Luis Calderón.
**Fotografía:** Ross Fisher.
**Guión:** Ernesto Cortázar; adaptación de Fernando A. Rivero.
**Música:** Manuel Esperón; arreglos: Jorge Pérez H.
**Canciones:** Manuel Esperón, Ernesto Cortázar y Pedro Galindo: «Toro bonito», «Cállate corazón», «Juramento», «Primavera», «Cuando canta el corazón».
**Músicos:** Trío Los Plateados.
**Intérpretes:** Jorge Negrete (José Molina *El Temerario*), Gloria Marín (Rosario Gómez), Pepe Ortiz (Rodrigo Rangel), Florencio Castelló (Juanillo), Rafael Icardo (Paco), Alfonso Parra (don Julián), Arturo Soto Rangel (don Manuel, ranchero), David Valle González (don Tomás).
**Duración:** 85 minutos. Blanco y negro.

**Sinopsis:** Versión de la película «Sangre y arena», en este caso en lugar de un torero hay dos. José (Jorge Negrete) se casa con Rosario, pero sus celos acaban destrozando su matrimonio. Pepe Ortiz, torero en la vida real, hace aquí el papel de villano, y según la crítica de la época le salió un personaje verdaderamente «sádico y maligno».

**Título:** *Cuando viajan las estrellas* / **Título en inglés:** *When Stars Travel*

**Año:** 1942.
**Director:** Alberto Gout.
**Producción:** Films Mundiales, Agustín J. Fink.
**Fotografía:** Gabriel Figueroa.
**Guión:** Alberto Gout, adaptado por Paulino Masip.
**Canciones:** Manuel Esperón: «Ven», «A tus pies», «Por amor a una mujer».
**Música:** Antonio Díaz Conde.
**Intérpretes:** Jorge Negrete (Fernando Lazo), Raquel Rojas (Olivia Onil), Ángel Garasa (Niceto Perea, «El Niño de Jerez»), Domingo Soler (Ángel), Consuelo Guerrero de Luna (Laura), Alfredo Varela, Jr. (periodista), Gabriel Soto (torero), Eddy Laray (Tom).
**Duración:** 108 minutos. Blanco y negro.

**Sinopsis:** Comedia ranchera, amable y simpática, en la que una bella actriz norteamericana, Raquel, viaja a México en compañía de un profesor de danza para aprender baile flamenco y las danzas mexicanas. La actriz acaba enamorándose de un rudo charro, Jorge Negrete. Curiosamente, esta película sufrió los embates de la censura, que consideró que determinadas escenas entre Jorge y Olivia Onil eran excesivamente «sugestivas», y obligó a cortarlas.

**Título:** *Historia de un gran amor* / **Título en inglés:** *Story of a Great Love*

**Año:** 1942.
**Director:** Julio Bracho.
**Producción:** Films Mundiales, Agustín J. Fink.
**Fotografía:** Gabriel Figueroa.
**Guión:** Basado en la novela «El niño de la bola», del escritor español Pedro Antonio de Alarcón, adaptada por Julio Bracho.
**Música:** Raúl Lavista, Miguel Bernal Jiménez y Manuel Esperón.

**Músicos:** Coro infantil de la catedral de Morelia dirigido por Miguel Bernal Jiménez; Andrés Huesca y sus Costeños.
**Intérpretes:** Jorge Negrete (Manuel y Rodrigo Venegas), Domingo Soler (padre Trinidad), Gloria Marín (Soledad), Sara García (doña Josefa), Julio Villarreal (don Elías), Narciso Busquets (Manuel, de niño), Miguel Ángel Férriz (Antonio Arregui), Andrés Soler (*Vitriolo*), Eugenia Galindo (Polonia), Lupita Torrentera (Soledad, de niña).
**Duración:** 155 minutos. Blanco y negro.

**Sinopsis:** Melodrama que se desarrolla en el México del siglo XIX. Manuel (Jorge Negrete), un muchacho huérfano y pobre, quiere casarse con su amada Soledad, pero el padre de ésta se niega de forma rotunda. Manuel se va en busca de fortuna, pero cuando seis años más tarde regresa rico, Soledad se ha casado con otro hombre, Antonio. Durante una fiesta, Manuel paga una verdadera fortuna para conseguir un beso de su amada, sin sospechar que ese beso provocará una tragedia que acabará con la muerte de la muchacha. Con esta película, Jorge Negrete ganó el premio Presidente de la República de la Academia de Ciencias y Artes Mexicana al mejor actor del año.

**Título:** *Así se quiere en Jalisco* (título provisional, que se desechó: *La Lupe se va del rancho*) / **Título en inglés:** *This is How You Love in Jalisco (Lupe Leaves the Ranch)*

**Año:** 1942.
**Director:** Fernando de Fuentes.
**Producción:** Jesús Grovas y Fernando de Fuentes.
**Fotografía:** John W. Boyle y Agustín Martínez Solares.
**Guión:** Guz Águila, inspirado en varios sainetes del español Carlos Arniches, y adaptado por Fernando de Fuentes.
**Música:** Manuel Esperón.
**Canciones:** Manuel Esperón («Coplas del Tata», «Mi amor se me fue», «La tapatía», «Así se quiere en Jalisco», «Serenata») y Juan

José Espinosa («Las alteñitas»); letras de Ernesto Cortázar y Guz Águila.
**Músicos:** Trío Los Plateados y Mariachi Marmolejo.
**Intérpretes:** Jorge Negrete (Juan Ramón Mireles), María Elena Marqués (Lupe Rosales), Carlos López Moctezuma (Luis Alcántara), Florencio Castelló (Curro de la Torre).
**Duración:** 128 minutos. Color.

**Sinopsis:** Un potentado, Luis, que desea casarse con una bella muchacha, Lupe, paga la hipoteca del rancho del padre de ésta a fin de convencerla. Pero ni aun así ella accede a casarse. Entonces Luis la toma a su servicio como ama de llaves. Finalmente, el amor surgirá entre la linda Lupe y el joven Juan Ramón, tras un sinfín de peripecias e inconvenientes. La revista *Variety* dijo de este filme que tenía un guión «tan anticuado que parecía sacado de una película de los primeros tiempos de Tom Mix».

**Título:** *El peñón de las ánimas* / **Título inglés:** *The Mount of the Spirits* (la revista *Variety* la «retituló» por su cuenta con el de *«The Rock of Souls»*)

**Año:** 1942.
**Director:** Miguel Zacarías.
**Producción:** Miguel Zacarías.
**Fotografía:** Víctor Herrera.
**Guión y adaptación:** Miguel Zacarías.
**Música:** Tchaikovsky, Beethoven, Paganini, Chopin.
**Canciones:** Manuel Esperón («Cocula», «Mujer, abre tu ventana», «El mexicano», «Esos altos de Jalisco»); Letras: Ernesto Cortázar. Coreografía: Lettie Carroll.
**Músicos:** Trío Calaveras.
**Intérpretes:** Jorge Negrete (Fernando Iturriaga), María de los Ángeles Félix (María Ángela Valdivia), René Cardona (Manuel), Carlos López Moctezuma (Felipe Valdivia), Miguel Ángel Ferriz (don Braulio Valdivia).

**Duración:** 117 minutos. Blanco y negro.

**Sinopsis:** Melodrama tierno que relata la historia de un amor imposible entre dos jóvenes, miembros de familias enfrentadas, al más puro estilo de Romeo y Julieta. Si bien esta película no brilló por su originalidad, sí encerró dos circunstancias especiales: fue la primera vez que sus inseparables amigos, el Trío Calaveras, aparecían en una de sus películas, y fue también la primera vez que trabajó junto a María Félix, aunque en esta primera ocasión lo único que surgió entre ellos fue una fuerte enemistad. La película, pese a su simplicidad, obtuvo un gran éxito de taquilla.

**Título:** *Tierra de pasiones* / **Título en inglés:** *Land of Passions*

**Año:** 1942.
**Director:** José Benavides, Jr.
**Producción:** Cimesa, David Negrete, Gonzalo Elvira, Miguel Mezquíriz y Antonio Guerrero Tello.
**Fotografía:** Agustín Martínez Solares.
**Guión:** Basado en el poema teatral «Linda», de Miguel N. Lira; adaptación de Marco Aurelio Galindo y Alejandro Galindo.
**Música:** Manuel Esperón.
**Canciones:** Manuel Esperón y Hermanos Domínguez; letras: Ernesto Cortázar.
**Músicos:** Trío Calaveras y Lira San Cristóbal.
**Intérpretes:** Jorge Negrete (Máximo Tepal, padre e hijo), Margarita Mora (Linda Maldonado), Carlos Orellana (Salvador Pereda), José Baviera (Diego Banderas), Pedro Armendáriz (Porfirio Gándara).
**Duración:** 90 minutes. Blanco y negro.

**Sinopsis:** Melodrama folclórico y ciertamente exótico, rodado en el istmo de Teotihuacán, en el que Jorge Negrete hace el papel de Máximo Tepal, el hijo que vuelve al pueblo para vengar la muerte de su padre, asesinado por el cacique local, Diego Banderas. Mediante sucesivos flash-back, se cuenta la historia en la que Jorge Negrete hace por primer vez dos papeles, el del padre y el del hijo. El padre, antes de ser asesinado, había tenido que huir a las montañas mientras el cacique le arrebataba a su amada, obligándola a casarse con él. Pese a ello, el huido y la joven tienen un hijo (Jorge), cosa que pagarán con la vida. Jorge Negrete será el vengador. La película obtuvo un éxito considerable, y él recibió excelentes críticas por su trabajo, tanto en México como en Estados Unidos.

**Título:** *Fiesta (El Rancho de los Flores)* / **Título en inglés:** *Fiesta (The Ranch of Flowers)*

**Año:** 1942.
**Director:** Leroy Prinz.
**Producción:** Hal Roach y Leroy Prinz.
**Guión:** Cortland Fitzsimmons. Adaptación de Kenneth Higgins.
**Fotografía:** Alfred Gilks y Robert Pittack.
**Intérpretes:** Jorge Negrete (José), Anne Ayars (Cholita), Antonio Moreno (don Juan Hernández), Armida (Cuca), George Givot (Fernando Gómez), Pedro (Nick Moro), Pablo (Frank Yaconelli), Pancho (George Humbert), Paco (Paco Moreno), Betty Bryson (esposa de Pancho).
**Músicos:** José Arias y su Orquesta Típica Mexicana, Trío Guadalajara, Carlos Valdez (bailarín indio de Oaxaca).
**Canciones:** «Quién sabe», de Edward Ward, interpretada por Jorge Negrete; «Never Trust a Jumping Bean», de Edward Ward; «I'll Never Forget Fiesta», de Nilo Menéndez, interpretada por Jorge Negrete, y «La Golondrina».
**Duración:** 43 minutos. Color.

**Sinopsis:** No fue una película al uso, sino una breve comedia musical «inventada» por Hal Roach para mostrar al público hispano de Estados Unidos el más puro tipismo mexicano. El argumento fue muy simple: Una joven vuelve a la hacienda de su padre, donde se organiza una gran fiesta en su honor. Su novio, famosa estrella de la radio (Fernando) viaja con ella. La cosa se complica al encontrar allí a un viejo amigo (Jorge Negrete).

**Título:** *El jorobado (Enrique de Lagardére)* / **Título en inglés:** *The Hunchback*

**Año:** 1943.
**Director:** Jaime Salvador.
**Producción:** Films Intercontinental (FISA).
**Fotografía:** Alex Phillips.
**Guión:** Basado en la novela de Paul Feval «Enrique de Lagardére»; adaptación de Óscar Dancigers y Jaime Salvador.
**Música:** Ernesto Roemer.
**Canciones:** Manuel Esperón y Ernesto Cortázar («Mi acero, mi orgullo es», «En una noche sombría»).
**Intérpretes:** Jorge Negrete (Enrique de Lagardére), Gloria Marín (Aurora, hija), Adriana Lamar (Aurora, madre), Ángel Garasa (Pascual), Ernesto Alonso (Gonzaga) Andrés Soler (Peyrolles).
**Duración:** 95 minutos. Blanco y negro.

**Sinopsis:** Melodrama de capa y espada ambientado en el siglo XVIII. Jorge Negrete se disfraza de jorobado y se hace pasar por un sirviente para conseguir entrar en la casa del hombre que asesinó a su mejor amigo cuando tenían diecisiete años, casándose, además, con su novia. La crítica tachó esta película de confusa, ya que el guión, al estar mal adaptado, convertía en un posible incesto algo que no lo era. Se la acusó además de ser «demasiado teatralizada». Pero tuvo éxito.

**Título:** *Una carta de amor* (Título previo: *Aquella carta de amor*) / **Título en inglés:** *Love Letter (That Love Letter)*

**Año:** 1943.
**Director:** Miguel Zacarías.
**Producción:** Grovas, S. A., Jesús Grovas.

**Fotografía:** Ross Fisher.
**Guión y adaptación:** Miguel Zacarías.
**Música y canciones:** Manuel Esperón y Ernesto Cortázar («Dulce patria», «Cada estrella», «Una carta de amor», «Cuadrilla de los compadres»).
**Músicos:** Trío Calaveras.
**Intérpretes:** Jorge Negrete (jefe liberal), Gloria Marín (Marta María Mireles), Andrés Soler (coronel Arturo Gonzalón), Mimí Derba (doña Rosa), Emma Roldán (nana Lupe Ibarguengoitia), Alejandro Ciangherotti (Pepe).
**Duración:** 94 minutos. Blanco y negro.

**Sinopsis:** Melodrama ambientado en el México del emperador Maximiliano, cuando en el bolsillo de la chaqueta de un jefe liberal, probablemente juarista (Jorge Negrete), que va a ser ejecutado por los franceses, aparece una carta en la que, mediante sucesivos flash backs, iremos conociendo la dramática historia de una joven (Marta) que se enamora del jefe liberal pero se ve obligada a casarse con un coronel imperialista, Gonzalón, al que no ama, para poder salvar a su hermano. En una ocasión, la joven consigue salvar la vida al jefe liberal cuando estaba a punto de ser capturado. La cosa acaba mal, ya que la joven terminará envenenada. La película consiguió un enorme éxito en taquilla, tanto en México como en Estados Unidos y en los países de habla castellana donde se estrenó.

**Título:** *El rebelde (Romance de antaño)* / **Título inglés:** *The Rebel (Ballad of Yore)*

**Año:** 1943.
**Director:** Jaime Salvador.
**Producción:** Águila Films, Óscar Dáncigers.
**Fotografía:** Raúl Martínez Solares.
**Guión** Jean Malaquais; adaptación de Jean Malaquais y Jaime Salvador.
**Música:** Manuel Esperón.

**Canciones:** Manuel Esperón («Romanza de amor», «Mi gitana», «La canción del bandido») y Enrique Granados («Goyescas»); letras: Ernesto Cortázar y Octavio Paz.
**Intérpretes:** Jorge Negrete (Juan Manuel de Mendoza), María Elena Marqués (Ana María), Julio Villarreal (Pablo de la Vega), Federico Peñeiro (Lorenzo Barrera, profesor de música), Miguel Ángel Férriz (Antonio de Mendoza), Felipe Montoya (Pedro, criado de Antonio), Alfonso Ruiz Gómez (Felipe de Montellano), Roberto Meyer (abogado), Fernando Soto *Mantequilla* (bandido), Alfonso Bedoya (bandido).
**Duración:** 118 minutos. Blanco y negro.

**Sinopsis:** En el México del siglo XIX, un hacendado, Pablo, reclama a otro, Antonio, la propiedad de su hacienda, provocando que el segundo, que era su amigo, muera de un ataque al corazón. El hijo de Antonio, Juan Manuel (Jorge Negrete), regresa del servicio militar y, al ver lo que ha ocurrido, quema la hacienda de su padre para que no caiga en manos de Pablo, y se convierte en bandido. Para entrar en el rancho de Pablo, se hace pasar por profesor de música y da clases a la hija de éste, Ana María. Tras muchas peripecias, consigue casarse con la chica y burlar a sus enemigos.
Esta película tuvo algo especial: contenía la única canción ranchera a la que el Premio Nobel Octavio Paz puso letra, en la que fue su única incursión en el mundo de la música.

**Título:** *Cuando quiere un mexicano (La gauchita y el charro)* / **Título en inglés:** *When a Mexican Loves (The Little Gaucha and the Cowboy)*

**Año:** 1944.
**Director:** Juan Bustillo Oro.
**Producción:** Grovas, S. A., Jesús Grovas.
**Fotografía:** Agustín Martínez Solares.
**Guión:** Juan Bustillo Oro y Humberto Gómez Landero; diálogos: Juan Bustillo Oro y Enrique Uthoff.
**Música:** Manuel Esperón.

**Canciones:** Manuel Esperón y Ernesto Cortázar; Hector Stamponi Ledesma canta «Samba Gaucha» y «Por este amor» (tango). Jorge Negrete canta «Sueño», «Como caído del cielo» (a dúo con Ledesma), «Cuando quiere un mexicano» y «Despierta».

**Músicos:** Trío Calaveras.

**Intérpretes:** Jorge Negrete (Guillermo del Valle), Amanda Ledesma (Mercedes Rico), Enrique Herrera (Nerón), Berta Lehar (Agripina), Vicente Padula (don Santiago).

**Duración:** 83 minutes. Blanco y negro.

**Sinopsis:** Comedia ranchera en la que la protagonista, Mercedes, una niña rica y aburrida de la sociedad envarada y falsa en la que vive, viaja a Argentina en avioneta, y la avioneta, para su fortuna, tiene una avería a mitad del viaje y cae en un rancho donde vive un mexicano que odia a las mujeres. Al conocerla, el mexicano (Jorge Negrete) le tiene el odio habitual, pero poco a poco la muchacha se gana su aprecio y el misógino Jorge acaba enamorándose de ella y demostrándole lo que ocurre «cuando quiere un mexicano»...

**Título:** *Me he de comer esa tuna* / **Título en inglés:** *I Have to Eat This Prickly Pear*

**Año:** 1944.

**Director:** Miguel Zacarías.

**Producción:** Jesús Grovas.

**Fotografía:** Agustín Martínez Solares.

**Guión y adaptación:** Miguel Zacarías.

**Música:** Manuel Esperón/Ernesto Cortázar («Me he de comer esa tuna», «Un tequila con limón», «El día que me quieras», «Dicen por ahí», «El charro mexicano»).

**Músicos:** Trío Calaveras.

**Intérpretes:** Jorge Negrete (Rafael Landero), María Elena Marqués (Carmela), Enrique Herrera (cura Domingo *El Becerro*), Antonio Badú (Ernesto Sandoval), Mimí Derba (doña Rosaura, madre de Rafael), Armando Soto la Marina *El Chicote*, Alfonso Bedoya.

**Duración:** 118 minutos. Blanco y negro.

**Sinopsis:** Dos amigos y rivales (Negrete y Badú) se disputan el amor de la linda Carmela. Se apuestan 5.000 pesos a que Rafael consigue enamorar a la novia de su amigo, a la que no ha visto desde la infancia, y acaba enamorándose de ella. Esta película tuvo algunos problemas con la Iglesia católica, que no quedó muy conforme con el tratamiento que se daba al personaje del cura Domingo: *El Becerro*.

**Título:** *Canaima (El dios del mal)* / **Título en inglés:** *Canaima (God of Evil)*

**Año:** 1945.
**Director:** Juan Bustillo Oro.
**Producción:** Filmex, Gregorio Walerstein.
**Fotografía:** Jack Draper.
**Guión:** Basado en la novela homónima de Rómulo Gallegos; adaptación de Juan Bustillo Oro.
**Música:** Manuel Esperón.
**Intérpretes:** Jorge Negrete (Marcos Vargas), Gloria Marín (Maigualida), Rosario Granados (Araceli Villorini), Alfredo Varela, Jr. (Arteaga), Carlos López Moctezuma (Col. José Francisco Ardaví, *El Tigre de Yuruarí*), Bernardo Sancristóbal (Gabriel Ureña), Andrés Soler (conde Giaffaro), Alfonso Bedoya (Pantoja, *El Cholo Parima*).
**Duración:** 118 minutos. Blanco y negro.

**Sinopsis:** Un joven, Marcos Vargas (Jorge Negrete), vuelve a Ciudad Bolívar tras acabar sus estudios en Caracas. A partir de ahí, se cuenta una historia de enfrentamiento entre dos culturas, dos civilizaciones: el mundo cosmopolita y el mundo rural venezolano. En esta adaptación de la novela de Rómulo Gallegos se cambió el final, para no «escandalizar» en exceso a una sociedad poco acostumbrada a asuntos como el relatado en la novela; en ésta, el protagonista se casa con una indígena; en la película, la indígena se cambia por una mujer blanca.

**Título:** *Hasta que perdió Jalisco* (originalmente: *Cuando pierde Jalisco*) / **Título en inglés:** *Until Jalisco Lost*

**Año:** 1945.
**Director:** Fernando de Fuentes.
**Producción:** Producciones Grovas, Jesús Grovas y Fernando de Fuentes.
**Fotografía:** Ignacio (Nacho) Torres.
**Guión, adaptación y diálogos:** Paulino Masip.
**Música y canciones:** Manuel Esperón y Ernesto Cortázar («Aquí viene Jorge Torres», «Cocula», «Qué te cuesta», «Ilusión de mi vida», «Sin saber si me queda corazón», «Hasta que perdió Jalisco»).
**Músicos:** Trío Calaveras, Mariachi Vargas de Tecalitlán.
**Intérpretes:** Jorge Negrete (Jorge Torres), Gloria Marín (Alicia), Armando Soto la Marina *El Chicote* (Melanio), Federico Mariscal Jr. (el niño Roberto), Alfonso Bedoya (Ponciano), Eduardo Noriega (Roberto), Eugenia Galindo, Antonio Díaz, Rita Bauza, Manolo Noriega, José Muñoz, Julio Ahuet.
**Duración:** 115 minutos. Blanco y negro.

**Sinopsis:** Curiosa comedia en la que una mujer confía la custodia y educación de su hijo ilegítimo a su hermano, Jorge, el más valiente de Jalisco, tras lo cual ingresa en un convento. Jorge educa al niño como si fuera su propio hijo, con la ayuda de cuatro amigos, bastante golfos pero de buen corazón. Pasados unos años, un individuo paga a estos amigos para que simulen un asalto a dos mujeres, que él solucionaría quedando como un héroe. Jorge Negrete lo evita, pensando que el asalto es real. Él y su hijo adoptivo son invitados al rancho de las dos mujeres, y Jorge se enamora de una de ellas, Alicia. El auténtico padre del niño resulta ser el hermano de Alicia, y todo se resuelve al final de forma satisfactoria.

**Título:** *No basta ser charro* / **Título en inglés:** *It's Not Good Enough to Be a Cowboy*

**Año:** 1945.
**Director:** Juan Bustillo Oro.
**Producción:** Producciones Dyana, Jesús Grovas.
**Fotografía:** Víctor Herrera.
**Guión:** Paulino Masip; adaptación de Jorge López Portillo.
**Música y canciones:** Manuel Esperón y Ernesto Cortázar («El charro mexicano», «Chaparrita cuerpo de uva», Amor de mi amor»).
**Músicos:** Trío Ruiz Armengod, Trío Calaveras, Trío Ascensio-Del Río.
**Intérpretes:** Jorge Negrete (en un doble papel, el de sí mismo y el de Ramón Blanquet), Lilia Michel (Marta), Lupe Inclán (Petra), Antonio R. Frausto (Próspero), Armando Soto la Marina *El Chicote* (Refugio Calzontzin), Salvador Quiroz (don Pancho), Eugenia Galindo, Alfonso Bedoya (ranchero), David Negrete.
**Duración:** 98 minutos. Blanco y negro.

**Sinopsis:** Comeda de equívocos en la que Jorge Negrete hace un doble papel, el de una estrella de la canción y el de un charro al que confunden con el famoso cantante. La heroína se enamorará del charro creyendo que se trata de Jorge Negrete. Al final, todos acabarán en un estudio de grabación, donde Jorge Negrete, vestido de charro, graba un disco... Una de las comedias de enredo más divertidas y eficaces de Jorge Negrete, según público y crítica. Obtuvo un éxito notable.

**Título:** *Camino de Sacramento* / **Título en inglés:** *The Road to Sacramento*

**Año:** 1945.
**Director:** Chano Urueta.
**Producción:** Filmex, Gregorio Walerstein; manager de prod.: Alfredo Ripstein, Jr.
**Fotografía:** Jack Draper.
**Guión:** Ernesto Cortázar; adaptación de Tito Davison.

**Música:** Federico Ruiz y Rosalío Ramírez.
**Canciones:** Jorge Negrete y Ernesto Cortázar.
**Intérpretes:** Jorge Negrete (Juan Ruiz/Antonio Ruiz *El Halcón*), Rosario Granados (Luisa), Julio Villarreal (Enrique Ledesma), Pepe Martínez (Curro), Ernesto Cortázar (Ramón), Carlos Múzquiz (*El Chueco*), Cuca Martínez (Reina).
**Duración:** 95 minutos. Blanco y negro.

**Sinopsis:** Película de aventuras ambientada en el siglo XIX en California. Jorge Negrete hace el doble papel, el de un noble español educado en Sevilla y el de un bandido bueno, un moderno Robin Hood. Ambos resultan ser hermanos, gemelos, que nacieron siameses y fueron separados después de nacer. La película está inspirada en la novela de Alejando Drumas «Los hermanos corsos», y sobre ella ya se había hecho otra película en 1941, protagonizada en aquella ocasión por Douglas Fairbanks Jr.

**Título:** *En tiempos de la Inquisición* / **Título en inglés:** *In the Times of the Inquisition*

**Año:** 1946.
**Director:** Juan Bustillo Oro.
**Producción:** Jesús Grovas.
**Fotografía:** Víctor Herrera.
**Guión:** Basado en la obra *La Sorciere (La hechicera),* de Victorien Sardou; adaptación de Juan Bustillo Oro.
**Música:** Manuel Esperón.
**Intérpretes:** Jorge Negrete (Enrique de Acuña), Gloria Marín (Zoraya), Beatriz Aguirre (Juana de Padilla), Miguel Arenas (don Lope), Maruja Grifell (Aíja), Francisco Reiguera (gran inquisidor), Salvador Quiroz (asesino de Enrique).
**Duración:** 102 minutos. Blanco y negro.

**Sinopsis:** Melodrama histórico ambientado en el siglo XVI en España; en esta película Gloria Marín hace el papel de una joven mora, papel que fue originariamente escrito en 1903 para ser interpretado por Sara Bernhard en el teatro. La heroína mantendrá relaciones con un caballero español, lo que les traerá complicaciones sin límite. Esta película tuvo un antecedente en otra, rodada en 1916 por Frank Powell en Hollywood y que se tituló «La bruja», en la que el papel de la joven morisca era trasladado al de una revolucionara mexicana perseguida en tiempos de la Revolución. La película no fue precisamente una maravilla, y la crítica se cebó con ella, burlándose de las barbas, evidentemente falsas, de Jorge Negrete, de los decorados con cortinas pintadas y de las puertas que chirriaban... Como si la hubiera dirigido Ed Wood.

**Título:** *El ahijado de la muerte* / **Título en inglés:** *The Stepson of Death*

**Año:** 1946.
**Director:** Norman Foster.
**Producción:** Películas Anáhuac, Óscar Dáncigers.
**Fotografía:** Jack Draper.
**Guión y adaptación:** Norman Foster, Janet Alcoriza y Luis Alcoriza.
**Música:** Manuel Esperón y Ernesto Cortázar («El ahijado de la muerte», «Al diablo con las mujeres», «Canción vaquera», «No sé por qué»).
**Intérpretes:** Jorge Negrete (Pedro), Rita Conde (Marina), Leopoldo Ortín (Dionisio), Emma Roldán, Tito Junco (Carmelo), Alejandro Ciangherotti (Julio), Francisco Jambrina, Manuel Dondé, Carlos Múzquiz, niño Daniel Pastor, Lupe Inclán, Ignacio Peón.
**Duración:** 89 minutos. Blanco y negro.

**Sinopsis:** Historia de aventuras y fantasía en la que un padre lleva a su hijo pequeño al cementerio, donde la muerte ofrece al niño su protección a cambio de convertirse en su madrastra. Pero la muerte no podrá proteger también a la amada del muchacho cuando éste crece y se convierte en bandido... Éste acabará siendo un trovador que cuente su extraña historia de ciudad en ciudad.

**Título:** *Gran Casino* (iba a titularse *Tampico* o *En el viejo Tampico*) / **Título en inglés:** *Gran Casino (In Old Tampico)*

**Año:** 1946.
**Director:** Luis Buñuel; ayudante de dirección: Moisés M. Delgado.
**Producción:** Películas Anáhuac, Óscar Dáncigers.
**Fotografía:** Jack Draper.
**Guión:** Basado en la novela de Michael Weber *El rugido del paraíso*; adaptación de Mauricio Magdaleno y Edmundo Báez.
**Música:** Manuel Esperón.
**Canciones:** Manuel Esperón («Dueño de mi amor»), Francisco Canaro y Mariano Mores («Adiós, Pampa mía»), A. G. Villoldo (tango «El choclo»), Francisco Alonso («El reflector del amor»), F. Vigil («La norteña»), anónimo (el tango «Loca»).
**Músicos:** Trío Calaveras.
**Intérpretes:** Libertad Lamarque (Mercedes Irigoyen), Jorge Negrete (Gerardo Ramírez), Mercedes Barba (Camelia), Agustín Isunza (Heriberto), Julio Villarreal (Demetrio García), José Baviera (Fabio), Alfonso Bedoya (*El Rayado*), Francisco Jambrina (José Enrique Irigoyen), Fernanda Albany (Nanette, la cleptómana), Charles Rooner (Van Eckerman), Berta Lehar (Raquel), Ignacio Peón, Julio Ahuel, José Muñoz.
**Duración:** 101 minutos. Blanco y negro.

**Sinopsis:** Película que fluctúa entre el thriller y la comedia de equívocos, se desarrolla en la zona petrolífera del golfo de México. Dos prófugos se enrolan como trabajadores en los pozos petrolíferos de un rico argentino, que desaparece justo cuando llega su hermana (Libertad Lamarque), que sospecha que los dos individuos tienen algo que ver con esa desaparición. La película resultó entretenida y consiguió un notable éxito. Tuvo además un curioso elemento: el Trío Calaveras aparece constantemente, en los más variados escenarios (la cárcel, un bar o en medio del campo petrolífero) sin participar en la historia, pero dando forma a las canciones.

**Título:** *Allá en el Rancho Grande* / **Título en inglés:** *Over There on the Big Ranch*

**Año:** 1948.
**Director:** Fernando de Fuentes.
**Producción:** Producciones Grovas, Jesús Grovas y Fernando de Fuentes.
**Fotografía:** Jack Draper.
**Guión:** Luz Guzmán Aguilera y Guz Águila; adaptación de Guz Águila y Fernando de Fuentes.
**Música:** Manuel Esperón.
**Canciones:** Lorenzo Barcelata («Lucha María», «Amanecer ranchero», coplas de huapango), Fernando Méndez Velázquez («Ojos tapatíos»), José López Alavés («Canción mixteca»), Manuel Esperón y Ernesto Cortázar («El gallero»), anónimo («Allá en el Rancho Grande»).
**Músicos:** Mariachi Vargas de Tecalitlán.
**Intérpretes:** Jorge Negrete (José Francisco Ruelas), Lilia del Valle (Cruz), Eduardo Noriega (Felipe), Armando Soto la Marina *El Chicote* (Florentino), Lupe Inclán (Ángela).
**Duración:** 80 minutos. Color (se distribuyeron también copias en blanco y negro).

**Sinopsis:** La película fue un «remake» de otra del mismo título, rodada en 1937 por el mismo director, que obtuvo con ella un éxito enorme. Pero el director, Fernando de Fuentes, que ya había querido que fuera Jorge Negrete el protagonista de la primera versión, no cejó hasta conseguir hacer esta segunda, con éste como protagonista. Una madre moribunda encarga a sus dos hijos biológicos, José Francisco y Eulalia, y a su hija adoptiva (Cruz) el cuidado de su comadre, Angelina. Ésta prefiere a los hijos biológicos que a la muchacha adoptada. También Felipe (Noriega), hijo del patrón y amigo de Jorge, tendrá una parte importante en la historia. Sin desvelar el argumento, digamos que todo acaba en una ensalada de amor y amistad, y que Jorge Negrete y Cruz, como era de esperar, formarán la pareja a la medida que el público quería. Una doble ceremonia de boda cierra el filme, es decir, el final que el público de aquel momento exigía para responder en taquilla de forma mayoritaria. La película volvió a conseguir un éxito tan sonado como en la primera versión, y fue una de las que más coloboró a abrirle a Jorge Negrete las puertas de varios países de habla hispana.

**Título:** *Si Adelita se fuera con otro* / **Título en inglés:** *If Adelita Went Away With Another*

**Año:** 1948.
**Director:** Chano Urueta.
**Producción:** Producciones Dyana, Fernando de Fuentes y Jesús Grovas.
**Fotografía:** Víctor Herrera.
**Guión:** Ernesto Cortázar; adaptación de Chano Urueta.
**Música:** Manuel Esperón y Ernesto Cortázar.
**Canciones:** «La coqueta», «La Adelita», «La Cucaracha», «Dulce recuerdo», «Si Adelita se fuera con otro», «Chihuahua la grande», «La Valentina (Si mi han de matar mañana)», «El desterrado» (medley de canciones interpretado por varios grupos, con temas de distintas regiones de México, como Coahuila, Yucatán, Veracruz y Sonora).
**Músicos:** Trío Tamaulipeco, Trío Los Llaneros, Trío Ascensio, Conjunto Huesca y Sus Jarochos, Félix La Fuente y su Organillo.
**Intérpretes:** Jorge Negrete (Pancho Portillo), Gloria Marín (Adelita Maldonado), Crox Alvarado (mayor Federico Henríquez), Arturo Martínez (Rubén Miranda), Arturo Soto Rangel (don José), José Elías Moreno (general Francisco Villa), Roberto Cañedo, Fernando Casanova, Felipe de Alba, Salvador Quiroz, Miguel Ángel Férriz, Felipe Bermejo, Enrique Gonse, Lupe del Castillo.
**Duración:** 125 minutos. Blanco y negro.

**Sinopsis:** La historia se desarrolla durante la Revolución mexicana. Los hombres se disputan el corazón de la bella Adelita, pero es el revolucionario Pancho Portillo (Jorge Negrete) quien consigue conquistarla. Un ranchero local intenta casar a la chica con su hijo Rubén, amenazándola con arrebatar a su padre su hacienda si ésta no accede. Además, Rubén denuncia a Pancho a los federales, para que éste sea detenido. El padre de Adelita es asesinado, y ésta ingresa en un convento. Pancho la busca, y se casan en medio de un tiroteo organizado por el resentido Rubén. La cosa se complica, hasta que Lolita se encuentra con el general Villa, quien cree que va a una cita amorosa, engañado por una falsa carta... Finalmente, el asunto se arreglará a gusto de casi todos. La película tenía de nuevo todos los ingredientes que el público quería, y de nuevo obtuvo un éxito considerable, tanto de público como de crítica. Gloria Marín fue nominada al Premio de la Academia Mexicana a la Mejor Actriz de aquel año, mientras la crítica norteamericana comparó el excelente trabajo de José Elías Moreno, como el general Pancho Villa, con el bufonesco y ridículo que se le dio a este personaje en la película «Viva Villa», y que interpretó Wallace Beery. Moreno salió ganando, y mucho, en la comparación.

**Título:** *Jalisco canta en Sevilla* / **Título en inglés:** *Jalisco Sings in Seville*

**Año:** 1948.
**Director:** Fernando de Fuentes.
**Producción:** Producciones Dyana, Fernando de Fuentes.
**Fotografía:** Víctor Herrera.
**Guión:** Adolfo Torrado y Paulino Masip. Adaptación de Fernando de Fuentes.
**Música:** Manuel L. Quiroga.
**Canciones:** Juan Quintero, Antonio de León y Manuel L. Quiroga («Jalisco canta en Sevilla», «Largatijera»); Manuel Esperón con letra de Gustavo Adolfo Bécquer («Serenata»), Lorenzo Barcelata y Ernesto Cortázar («El Arreo»), Jesus Palacios («Agua del Pozo»), Guates Castilla («Plegaria Guadalupana»).
**Músicos:** Trío Calaveras.

**Intérpretes:** Jorge Negrete (Nacho Mendoza), Carmen Sevilla (Araceli), Armando Soto la Marina *El Chicote* (Nopal), Jesús Tordesillas (Manuel Vargas *El Trianero*, padre de Araceli), Leonor María; Ángel de Andrés (Curro o *Sacabó*).
**Duración:** 113 minutos. Blanco y negro.

**Sinopsis:** Esta comedia fue la primera coproducción hispano-mexicana de la historia. Nacho es un charro mexicano que viaja a Sevilla, en España, para cobrar una herencia. En el viaje le acompaña su amigo Nopal (El Chicote). El papeleo se complica y los dos amigos deberán quedarse una temporada en Sevilla, hasta que todo esté arreglado. Un ex torero, Manuel Vargas, les invita a quedarse en su cortijo, donde vive también su preciosa hija. La película, pese a estar llena de tópicos bastante ridículos, como el hecho de que Jorge Negrete vaya siempre vestido de charro y lleve permanentemente el revólver al cinto, tenía también su buena dosis de gracia, y las diferentes costumbres de los mexicanos y españoles de entonces dieron lugar a numerosos «gags» bien resueltos. Por eso, sin ser de las mejores películas de Jorge Negrete, sí fue uno de sus mayores éxitos de taquilla a ambos lados del Atlántico, de las que más éxito obtuvieron.

**Título:** *Lluvia roja* / **Título en inglés:** *Red Rain*

**Año:** 1949.
**Director:** René Cardona.
**Producción:** Filmex, Gregorio Walerstein.
**Fotografía:** Agustín Martínez Solares.
**Guión:** Basado en la novela homónima de Jesús Goytortúa Santos, ganadora del Premio Ciudad de México en 1946; adaptación de Mauricio Magdaleno.
**Música:** Manuel Esperón y Ernesto Cortázar.
**Músicos:** Trío Calaveras.
**Intérpretes:** Jorge Negrete (coronel Enrique Montero, *El Tigre del Bajío*), Elsa Aguirre (Elisa), Julio Villarreal (Federico), Alicia Caro (Cristina), Domingo Soler (don Tadeo Altocampo), Rodolfo

Landa (capitán Gerardo Ruiz), Miguel Ángel Férriz (general Medina), Arturo Martínez (abogado), Alejandro Cobo (don Justo).
**Duración:** 97 minutos. Blanco y negro.

**Sinopsis:** El coronel Montero (Jorge Negrete), un hombre cruel y sin escrúpulos, se enamora de una monja a la que convence para que cuelgue los hábitos y se vaya con él. La película acabará de forma dramática, con la joven muerta a tiros bajo la lluvia en un río de sangre, a manos de los revolucionarios.

**Título:** *La posesión* / **Título en inglés:** *The Possession*

**Año:** 1949.
**Director:** Julio Bracho.
**Producción:** Cinematográfica Grovas, Jesús Grovas.
**Fotografía:** Raúl Martínez Solares.
**Guión:** Basado en la novela *La Parcela,* de José López Portillo y Rojas; adaptación de Julio Bracho y María Luisa Algarra.
**Música y canciones:** Manuel Esperón y Ernesto Cortázar: «Olvídate de mí».
**Músicos:** Trío Calaveras, Trío América.
**Intérpretes:** Jorge Negrete (Román), Miroslava (Rosaura), Eva Martino (Lupe), Domingo Soler (don Pedro Ruiz), Julio Villarreal (don Miguel Díaz), Isabela Corona (esposa de Roque), Luis Aceves Castañeda (Roque Torres), Gilberto González (Pánfilo Vargas), Agustín Isunza (abogado Jaramillo), Antonio R. Frausto (Simón Oceguera), Manuel Dondé (don Santiago, el alcalde), José Baviera (Juez Enrique Camposorio).
**Duración:** 98 minutos. Blanco y negro.

**Sinopsis:** Melodrama que retrata el conflicto de clases en el ámbito rural. Dos hacendados, Pedro (Soler) y Miguel (Villarreal), se disputan la posesión de un terreno, el monte de los Pericos, disputa que viene desde largo tiempo atrás. El hijo de Pedro, Román (Jorge Negrete), rompe con su amada, la campesina Lupe, tras enamorarse de Rosaura, la hija del hacendado enfrentado con su padre. Éste se opone frontalmente a la relación. La película fue calificada por la crítica como «un drama demasiado sombrío», donde las costumbres feudales de determinados terratenientes y el concepto del honor de las mujeres se exageraron de tal manera que restaban credibilidad al desarrollo de la historia.

**Título:** *Teatro Apolo* / **Título en inglés:** *Apollo Theater*

**Año:** 1950.
**Director:** Rafael Gil.
**Producción:** Suevia Films, Cesáreo González (España).
**Fotografía:** César Fraile.
**Guión:** Rafael Gil.
**Música:** Varios autores. Piezas de distintas zarzuelas.
**Intérpretes:** Jorge Negrete (Miguel Velasco), María de los Ángeles Morales (Celia).
**Duración:** 89 minutos. Blanco y negro.

**Sinopsis:** Miguel (Jorge Negrete), hijo mexicano de padres españoles, viaja a España para conocer a sus padrinos. Allí se enamora de la joven Celia y se casa con ella. Formando pareja artística con ella, ambos triunfarán cantando zarzuela en el Teatro Apolo.

**Título:** *Siempre Tuya* (títulos anteriormente previstos: *Suave patria* o *Sólo tuya*) / **Título en inglés:** *Always Yours*

**Año:** 1950.
**Director:** Emilio Fernández.
**Producción:** Cinematográfica Industrial Productora de Películas, David Negrete.
**Fotografía:** Gabriel Figueroa.
**Guión y adaptación:** Mauricio Magdaleno y Emilio Fernández.
**Música:** Antonio Díaz Conde.

**Canciones:** Pepe Guízar («Acuarela potosina», San Luis Potosí), Chucho Monge («México lindo»).
**Intérpretes:** Jorge Negrete (Ramón García), Gloria Marín (Soledad), Tito Junco (Alejandro Castro), Joan Page (Mirta), Arturo Soto Rangel (doctor), Juan M. Núñez (Jim), Abel López (Jack), Emilio Lara (campesino), Ángel Infante (don Nicéforo).
**Duración:** 90 minutos. Blanco y negro.

**Sinopsis:** Jorge y Gloria son una humilde pareja de campesinos de Zacatecas que abandonan su pueblo para dejar atrás la miseria y buscar mejores oportunidades en la gran ciudad. Allá habrán de soportar muchas indignidades, pero él acabará convirtiéndose en un gran cantante y triunfador en la radio. Entonces conocerá a una rubia norteamericana, que se interpondrá en el camino de la pareja. Esta película denunciaba tanto la explotación de los humildes campesinos como la cada día mayor penetración de las costumbres e influencias norteamericanos en México.

**Título:** *Un gallo en corral ajeno* / **Título en inglés:** *Out of Place*

**Año:** 1951.
**Director:** Julián Soler.
**Producción:** CIPPSA, David Negrete y Felipe Subervielle.
**Fotografía:** Gabriel Figueroa.
**Guión:** Basado en la obra «El ladrón de gallinas», de Adolfo Torrado; adaptación de Paulino Masip.
**Música:** Manuel Esperón y Ernesto Cortázar.
**Canciones:** «La fiesta del rancho».
**Músicos:** Trío Calaveras.
**Intérpretes:** Jorge Negrete (Daniel o Joaquín Montano), Gloria Marín (Laura Montellano), Andrés Soler (tío Atilano), Julio Villarreal (Doroteo), Eduardo Arozamena (Raimundo, padre de Laura), Maruja Grifell (tía Margarita), Alejandro Ciangherotti (Antonio), Miguel Bermejo (Pablo).
**Duración:** 99 minutos. Blanco y negro.

**Sinopsis:** Comedia de la que se conocen distintas variaciones, y que también sirvió de base a otra película de Pedro Infante, «Escuela de vagabundos», que se filmaría cuatro años más tarde. Laura es una bella escultora; un día en una exposición, Joaquín (Jorge Negrete) escucha a un amigo decir que la muchacha está buscando a un hombre al que ella pueda moldear como si fuera de arcilla, convirtiéndolo en el hombre perfecto para su gusto. Entonces Joaquín se hace pasar por un ladrón de gallinas y se convierte en Daniel. Se deja atrapar con las manos en la masa, robando pavos en casa de Laura, que le acoge con la intención de rehabilitarle y «modelarle» a su gusto. Tras muchos equívocos, triunfan, naturalmente, la verdad y el amor.

**Título:** *Los tres alegres compadres* / **Título en inglés:** *Three Happy Pals*

**Año:** 1951.
**Director:** Julián Soler.
**Producción:** Mier & Brooks (Felipe Mier y Óscar J. Brooks).
**Fotografía:** Jorge Stahl, Jr.
**Guión:** Óscar J. Brooks; adaptación de Julián Soler y Ernesto Cortázar.
**Música:** Manuel Esperón.
**Canciones:** Rubén Fuentes y Rubén Méndez («Carta a Eufemia», «Juan Peregrino»).
**Músicos:** Cuco Sánchez, Mariachi Vargas, Roberto G. Rivera.
**Intérpretes:** Jorge Negrete (Pancho Mireles), Pedro Armendáriz (Baldomero Mireles), Andrés Soler (Juan Mireles), Rebeca Iturbide (Diana), Rosa de Castilla (Lolita *La Querendona*, cantante), Wolf Rubinskis (amante de Diana), Pancho Córdova.
**Duración:** 118 minutos. Blanco y negro.

**Sinopsis:** Tras cometer un robo en los Estados Unidos, Diana y su amante cruzan la frontera mexicana y llegan a Magdalena, donde se está celebrando una feria. A la vez, llegan a la ciudad Juan Mireles (Soler) y sus dos hijos, Pancho (Jorge Negrete) y Baldomero

(Armendáriz), tres jugadores que van a ver si le sacan partido a sus habilidades durante la feria. En el mismo hotel se alojan padre e hijos y Diana y su amante; ésta comenzará a flirtear con los tres, para conseguir que le cambien los dólares americanos que ella había robado por pesos mexicanos (que a los tres jugadores les sobran) a un precio favorable. Pero cada uno de los tres piensa que la chica está enamorada de él, y eso acaba forzando la ruptura de los hijos con su padre. Al final, el amante de Diana es detenido y deportado, y los tres compadres se reconcilian...

**Título:** *Dos tipos de cuidado* / **Título en inglés:** *Two Guys to Watch Out For*

**Año:** 1952.
**Director:** Ismael Rodríguez.
**Producción:** Tele Voz, Miguel Alemán, Jr., y David Negrete.
**Fotografía:** Nacho Torres.
**Guión y adaptación:** Ismael Rodríguez y Carlos Orellana.
**Música:** Manuel Esperón.
**Canciones:** «Malo y Bueno» (a dúo entre Pedro Infante y Negrete), «La tertulia» (cantada por Pedro Infante), «Fiesta mexicana», «La gloria eres tú» (cantada por Pedro Infante), «Ojos tapatíos», «Alevántate (serenata mexicana)» (cantada por Pedro Infante), «Quiubo» (cantada por Jorge Negrete), «Serenata tapatía» (cantada por Jorge Negrete), «La Mujer» (cantada por Federico Curiel).
**Intérpretes:** Jorge Negrete (Jorge Bueno), Pedro Infante (Pedro Malo), José Elías Moreno (general), Carmen González (Rosario), Yolanda Varela (María), Mimí Derba (Josefa, madre de Jorge), Carlos Orellana (don Elías), Queta Lavat (Genoveva), Arturo Soto Rangel (doctor), niño Luis Moreno.
**Duración:** 111 minutos. Blanco y negro.

**Sinopsis:** En esta comedia, Jorge Bueno (Jorge Negrete) vuelve a su pueblo tras un año de ausencia. Pedro (Infante) es un sujeto bastante golfo que corteja a María, la hermana de Jorge, y éste trata de proteger su reputación hasta que acaba enojándose y compra una hacienda junto a la de Pedro, a fin de poderle quitar el agua y arruinarle. Al final, todos acabarán amigos y emparejados. Ésta fue la única película en la que aparecieron juntos Jorge Negrete y Pedro Infante. Y fue una de las de más éxito en taquilla en toda la carrera de ambos.

**Título:** *Tal para cual* / **Título en inglés:** *Two of a Kind*

**Año:** 1952.
**Director:** Rogelio A. González.
**Producción:** Producciones Mier y Brooks (Felipe Mier y Óscar J. Brooks).
**Fotografía:** Raúl Martínez Solares.
**Guión y adaptación:** Ernesto Cortázar y Fernando Galiana.
**Música:** Manuel Esperón.
**Canciones:** Mario Talavera («Gratia plena»), Salvador Flores («El chorro de voz») (cantada por Aguilar), Federico Curiel («Ay, mis locas», «Ojitos negros»), José Alfredo Jiménez («Guitarras de medianoche», «Tu recuerdo y yo», «El mala estrella»), Jorge Negrete («Si tú te enamorarás»), Manuel Esperón y Ernesto Cortázar («Palomitas blancas», «Tal para cual», «A ver qui pasa»).
**Músicos:** Trío Calaveras, Trío Tamaulipeco de los Hermanos Samperio, Trío Los Mexicanos, Las Tres Conchitas, Trío Ascensio.
**Intérpretes:** Jorge Negrete (Melitón Galván), María Elena Marqués (Susana de la Rosa), Luis Aguilar (Chabelo Cruz), Rosa de Castilla (Rosaura), Queta Lavat (Paula), Ana María Villaseñor (Luci), Georgina González (Carmela), Lupe Carriles (Joaquina, nana de Rosaura), Armando Arriola (don Rafael García, padre de Paula).
**Duración:** 124 minutos. Blanco y negro.

**Sinopsis:** Un respetable hacendado, Melitón (Jorge Negrete), viaja constantemente a Guadalajara para cuidar a un hermano que, según dice, tiene ingresado en una clínica. Pero ese hermano, en realidad, no es más que un invento de Melitón para poder escaparse de su casa y vivir la vida como le gusta. En un bar llamado La Clínica conoció a Chabelo, un sujeto tan liante como él mismo; Chabelo cree que Melitón es Paco, el inexistente enfermo, y juntos visitan a una joven tía del primero, de la que rápidamente Melitón se enamora... Entre tanto, Rosaura, cuñada de Melitón, se inventa un romance con el hermano ficticio, y la cosa se complica hasta el delirio. Una comedia de equívocos bien llevada que dio sus frutos.

**Título:** *Reportaje* / **Título en inglés:** *Reporting*

**Año:** 1953.
**Director:** Emilio Fernández.
**Producción:** Tele Voz, Miguel Alemán, Jr.
**Fotografía:** Alex Phillips.
**Guión:** Julio Alejandro (del episodio de Jorge Negrete y María Félix).
**Canciones:** «La que se fue».
**Intérpretes:** Episodio 6: Jorge Negrete y María Félix.
**Duración:** 103 minutos. Blanco y negro.

**Sinopsis:** En uno de los episodios de esta película, que en realidad no era sino un compendio de cortos que incluían actuaciones de grandes estrellas, era un reportaje de estrellas, María Félix no puede dormir a causa de unos mariachis que andan dando la serenata en la habitación de al lado. Al día siguiente, el cantante que le impidió dormir y ella se encontrarán y surgirá el romance.

**Título:** *El Rapto* / **Título en inglés:** *The Abduction*

**Año:** 1953.
**Director:** Emilio Fernández.
**Producción:** Filmadora Atlántida, David Negrete.
**Fotografía:** Agustín Martínez Solares.

**Guión:** Emilio Fernández, Íñigo de Martino, Mauricio Magdaleno.
**Música:** Manuel Esperón.
**Canciones:** Manuel Esperón («El jinete», «Ojos tapatíos», «Las mañanitas», «Ahí no más», «Jarabe tapatío»).
**Músicos:** Antonio Bribiesca (guitarrista).
**Intérpretes:** Jorge Negrete (Ricardo Alfaro), María Félix (Aurora Campos), Andrés Soler (don Cástulo), José Ángel Espinosa *Ferrusquilla* (don Cándido), Beatriz Ramos (Perfecta), Emma Roldán (esposa de Constancio), Manuel Noriega (Rogelio Fernández).
**Duración:** 90 minutos. Blanco y negro.

**Sinopsis:** Una comedia ranchera en la que se cuenta cómo, durante la ausencia de Ricardo (Jorge Negrete), las autoridades locales creen que éste ha muerto, confiando en una historia publicada en la prensa, y que resulta ser falsa. Las autoridades venden la hacienda de Ricardo a Aurora (María Félix). Pero Ricardo vuelve a su casa y se encuentra con que no la tiene. Por ello, trata de recuperarla. Pero Aurora le acusará de violación, y las autoridades, en lugar de meterlo en la cárcel, consideran que lo mejor es que se casen. Con lo que, tras muchos equívocos y despropósitos, todo acabará bien. Ésta fue la última película de Negrete, que la rodó estando ya prácticamente moribundo.

**Título:** *El Charro Cantor* (película documental póstuma)

**Año:** 1955.
**Director:** Rafael E. Portas.
**Producción:** Tele Talia Films, David Negrete, 1955.
**Música:** Manuel Esperón y Ernesto Cortázar.
**Narrador:** Manolo Fábregas.

**Sinopsis:** Película documental que recoge la vida y la carrera de Jorge Negrete, sus mejores canciones, su personalidad, sus amigos... Un testimonio para el futuro, realizado dos años después de su muerte.

# TERCERA PARTE
# Sus canciones

En las siguientes páginas ofrecemos una relación alfabética de las canciones que Jorge Negrete grabó a lo largo de su vida. En cada una se indica el nombre del o de los autores, y en las que no se hace así, es que se trata de temas populares, tradicionales o anónimos.

## LAS CANCIONES QUE CANTÓ EL GRAN CHARRO

*Abandonado, El* - José de Jesús Martínez
*Abismo* - Jorge Negrete
*Acércate más* - Ernesto Lecuna
*Adiós, Pampa mía*
*Agua del pozo*
*Ahijado de la muerte, El*
*Al diablo con las mujeres* - Cortázar/Esperón
*Alma llanera* - Pedro Elís Gutiérrez
*Amanecer ranchero*
*Amor con amor se paga* - Esperón/Cortázar
*Amor de mi amor*
*Así se quiere en Jalisco* - Cortázar/Esperón
*Aunque lo quieras o no* - Cortázar/Esperón
*Aunque me cueste la vida* - Cortázar/Esperón
*Ay, Jalisco, no te rajes* - Cortázar/Esperón
*Azotón, El* - Esperón/Cortázar
*Babalú* - Margarito Lacuona
*Balaju*

*Bonita Guadalajara* - Gus Águila/Cortázar
*Canción vaquera* - Cortázar/Esperón
*Carta de amor, Una*
*Chancla, La* - Tomás Ponce Reyes
*Chaparrita cuerpo de uva* - Cortázar/Esperón
*Charro mexicano, El* - Cortázar/Esperón
*Cocula* - Cortázar/Esperón
*Coplas de retache* - Cortázar/M. Stamponi
*Coqueta, La* - Juan G. Leonardo
*Corrido de Jorge Torres* - Cortázar/Esperón
*Cortijo, El*
*Cuando quiere un mexicano* - Cortázar/Esperón
*Cuba de mi vida* - Eliseo Grenet
*Cucaracha, La*
*Despierta* - Consuelo Ruiz
*Desterrado, El* - Gilberto Parra/Miguel Lerdo de Tejada
*Duerme negrita* - Ernest Grenet
*Ella* - José Alfredo Jiménez
*Entre suspiro y suspiro* - F. Valdés Leal
*Esos altos de Jalisco* - Cortázar/Esperón
*Feria de las flores, La* - Chucho Monge
*Fiesta mexicana* - José Alfredo Jiménez
*Flor de azalea* - Esperón/Zacarías Gómez U.
*Hasta que perdió Jalisco* - Cortázar/Esperón
*Hijo del pueblo* - José Alfredo Jiménez
*Jinete, El* - José Alfredo Jiménez
*Juan Charrasqueado* - Víctor Cordero
*La que se fue* - José Alfredo Jiménez
*Longina* - Manuel Corona
*Maigualida*
*Me he de comer esa tuna* - Luis Mars
*México lindo* - Chucho Monge
*Mi preferida* - Pedro Galindo
*Momento, Un* - Alberto Domínguez
*Negra Noche, La* - Emilio D. Uranga
*No sé por qué*

*Noche plateada*
*Norteña, La* - Ricardo García de Arellano
*Ojitos tapatíos* - Fernando Méndez
*Ojos tapatíos* - F. Valázquez Méndez/S. Elizondo
*Old Man River* - Jerome Kern
*Pagaré, El* - Martínez Pelleta
*Paloma querida* - José Alfredo Jiménez
*Parranda larga* - Judith Reyes
*Perdóname*
*Peregrina* - Ricardo Palmerín/Luis Rosado Vega
*Perjura* - Miguel Lerdo de Tejada
*Preciosa* - Rafael Hernández
*Qué te cuesta* - Cortázar/Esperón
*Qué suerte la mía* - José Alfredo Jiménez
*Quibo, quibo cuando*
*Rogón, El*
*San Luis Potosí* - Pepe Guízar
*Serenata mexicana* - Manuel Ponce
*Serenata tapatía* - Esperón/Cortázar
*Si Adelita se fuera con otro*
*Si tú te enamoraras de mí*
*Sólo Dios* - Chucho Monge
*Soy infeliz* - Ventura Romero
*Sueño, El* - Nicandro Castillo
*Tequila con limón* - Cortázar/Esperón
*Topetón, El* - Felipe Bermejo
*Torcida, La* - Cortázar/M. Sabre Marroquín
*Toreador de Carmen*
*Travesura* - M. Sabre Marroquín
*Valentina, La* - José de Jesús Martínez
*Y cantar sin tu amor* - Ignacio Villa
*Y dicen por ahí* - Cortázar/Esperón
*Yo soy mexicano* - Cortázar/Esperón

## ALGUNAS GRANDES CANCIONES

En las siguientes páginas encontrará el lector los textos de algunas de las canciones que Jorge popularizó en medio mundo. Hemos seleccionado textos de todo tipo: rancheras, corridos, boleros...

### «MÉXICO LINDO»

(Chucho Monge / Ranchera)

*Voz de la guitarra mía,*
*al despertar la mañana,*
*quiero cantar la alegría*
*de mi tierra mexicana.*

*Yo le canto a sus volcanes,*
*a sus praderas y flores,*
*que son como talismanes*
*del amor de mis amores.*

*México lindo y querido,*
*si muero lejos de ti,*
*que digan que estoy dormido*
*y que me traigan aquí.*

*Que digan que estoy dormido*
*y que me traigan aquí,*
*México lindo y querido,*
*si muero lejos de ti.*

*Que me entierren en la sierra,*
*al pie de los magueyales*
*y que me cubra esta tierra,*
*que es cuna de hombres cabales.*

*Voz de la guitarra mía,*
*al despertar la mañana,*
*quiero cantar la alegría*
*de mi tierra mexicana.*

## «UNA CARTA DE AMOR»

*Carta de amor*
*que tu mano blanca escribió*
*y que mi esperanza llenó de ilusión,*

*carta de amor*
*dulce mensajera de luz*
*páginas benditas de tu corazón,*

*carta de amor*
*que nuestros destinos unió*
*y como una flor perfumó mi dolor,*

*ella será*
*mi fiel relicario de amor*
*mi más tierna y santa oración.*

(se repite)

*Carta de amor*
*que nuestros destinos unió*
*y como una flor perfumó mi dolor,*

*ella será*
*mi fiel relicario de amor,*
*mi más tierna y santa oración*
*carta de amor.*

## «¡AY, JALISCO, NO TE RAJES!»

(M. Esperón y E. Cortázar /
Canción mexicana)

*¡Ay, Jalisco, Jalisco, Jalisco!*
*Tú tienes tu novia que es Guadalajara,*
*muchacha bonita, la perla más rara*
*de todo Jalisco es mi Guadalajara.*

*Y me gusta escuchar los mariachis,*
*cantar con el alma sus lindas canciones*
*oír cómo suenan esos guitarrones*
*y echarme un tequila con los valentones.*

*¡Ay, Jalisco, no te rajes!*
*Me sale del alma gritar con calor,*
*abrir todo el pecho pa'echar este grito:*
*¡Que lindo es Jalisco, palabra de honor!*

*Pa' mujeres, Jalisco primero,*
*lo mismo en los altos, que allá en la Cañada,*
*mujeres muy lindas rechulas de cara,*
*así son las hembras de Guadalajara.*

*En Jalisco se quiere a la buena*
*porque es peligroso querer a la mala,*
*por una moneda echar mucha bala*
*y bajo la luna cantar en chapala.*

*¡Ay, Jalisco, no te rajes!*
*Me sale del alma gritar con calor,*
*¡Ay, Jalisco, Jalisco, Jalisco!*
*Tus hombres son machos y son cumplidores,*
*valientes, ariscos y sostenedores,*
*no admiten rivales en cosa de amores.*

*Su orgullo es su traje de charro,*
*traer su pistola, pasear en el pinto*
*y con su guitarra echar mucho tipo,*
*y a los que presumen quitarles el hipo.*

*¡Ay, Jalisco, no te rajes!*
*Me sale del alma gritar con calor.*

## «COCULA»

(Esperón y Cortázar / Corrido y huapango)

*De esta tierra de Cocula*
*que es el alma del mariachi*
*vengo yo con mi cantar.*

*Voy camino a Aguascalientes*
*a la feria de San Marcos*
*a ver lo que puedo hallar.*

*Traigo un gallo muy jugado*
*para echarlo de tapado*
*con algún apostador*

*y también traigo pistola*
*por si alguno busca bola*
*y me tilda de hablador.*

*De Cocula es el mariachi,*
*de Tecalitlán los sones,*
*de San Pedro su cantar,*
*de Tequila su mezcal,*
*y los machos de Jalisco*
*afamados por entrones*
*por eso traen pantalones.*

*Ando en busca de una ingrata,*
*de una joven presumida*
*que se fue con mi querer.*

*Traigo ganas de encontrarla*
*pa enseñarle que de un hombre*
*no se burla una mujer.*

*Se me vino de repente*
*dando pie pa que la gente*
*murmurara porque sí,*

*pero haber hoy que la encuentre*
*y quedemos frente a frente*
*qué me va a decir a mí.*

*De Cocula es el mariachi (etc.)*

## «DESPIERTA»

(G. Ruiz y G. Luna / Bolero)

*Despierta dulce amor de mi vida,*
*despierta si te encuentras dormida,*
*escucha mi voz vibrar bajo tu ventana,*
*en esta canción*
*te vengo a entregar el alma.*

*Perdona que interrumpa tu sueño,*
*pero no pude más*
*y esta noche te vine a decir*
*te quiero*
*te quiero, te quiero, te adoro.*

## «ELLA»

(José Alfredo Jiménez / Ranchera)

*Me cansé de rogarle,*
*me cansé de decirle*
*que yo sin ella*
*de pena muero.*

*Ya no quiso escucharme,*
*si sus labios se abrieron*
*fue pa decirme*
*ya no te quiero.*

*Yo sentí que mi vida*
*se perdía en un abismo*
*profundo y negro*
*como mi suerte.*

*Quise hallar el olvido*
*al estilo Jalisco,*
*pero aquellos mariachis*
*y aquel tequila*
*me hicieron llorar.*

*Me cansé de rogarle,*
*con el llanto en los ojos*
*alcé mi copa y brindé por ella.*
*No podía despreciarme,*
*era el último brindis*
*de un bohemio por una reina.*

*Los mariachis callaron,*
*de mi mano sin fuerza*
*cayó mi copa sin darme cuenta.*

*Ella quiso quedarse*
*cuando vio mi tristeza,*
*pero ya estaba escrito*
*que aquella noche*
*perdiera su amor.*

## «JUAN CHARRASQUEADO»

(Víctor Cordero / Corrido)

*Voy a contarles un corrido muy mentado,*
*lo que ha pasado allá en la hacienda de la Flor,*
*la triste historia de un ranchero enamorado*
*que fue borracho, parrandero y jugador.*

*Juan se llamaba y lo apodaban «charrasqueado»,*
*era valiente y arriesgado en el amor,*
*a las mujeres más bonitas se llevaba,*
*de aquellos campos no quedaba ni una flor.*

*Un día domingo que se andaba emborrachando*
*a la cantina le corrieron a avisar:*
*cuidate Juan que ya por ahí te andan buscando,*
*son muchos hombres, no te vayan a matar.*

*No tuvo tiempo de montar en su caballo,*
*pistola en mano se le echaron de a montón.*
*«Ando borracho», les grita, «y soy buen gallo»,*
*cuando una bala atravesó su corazón.*

*Creció la milpa con la lluvia en el potrero*
*y las palomas van volando al pedregal,*
*bonitos toros llevan hoy al matadero*
*que buen caballo va montando el caporal.*

*Ya las campanas del santuario están doblando,*
*todos los fieles se dirigen a rezar*
*y por el cerro los rancheros van bajando*
*a un hombre muerto que lo llevan a enterrar.*

*En una choza muy humilde llora un niño*
*y las mujeres se aconsejan y se van,*
*sólo su madre lo consuela con cariño,*
*mirando al cielo llora y reza por su Juan.*

*Aquí termino de cantar este corrido*
*de Juan Ranchero enamorado y burlador,*
*que se creyó de las mujeres consentido*
*y fue borracho parrandero y jugador.*

## «LA ADELITA»

(Dominio Publico / Corrido)

*En lo alto de la abrupta serranía*
*acampado se encontraba un regimiento*
*y una joven que valiente lo seguía*
*locamente enamorada del sargento.*

*Popular entre la tropa era Adelita,*
*la mujer que el sargento idolatraba,*
*porque más de ser valiente era bonita*
*y hasta el mismo coronel la respetaba.*

*Y se oía que decía, aquel que tanto la quería:*

*Y si Adelita quisiera ser mi novia,*
*y si Adelita fuera mi mujer,*
*le compraría un vestido de seda*
*para llevarla a bailar al cuartel.*

*Una noche que la escolta regresaba*
*conduciendo entre sus filas al sargento*
*en la voz de una mujer que sollozaba*
*su plegaria se escuchó en el campamento.*

*Al oírla el sargento, temeroso*
*de perder para siempre a su adorada,*
*ocultando su emoción bajo el embozo,*
*a su amada le cantó de esta manera:*

*Y si acaso yo muero en campaña*
*y a mi cadáver lo van a sepultar*
*Adelita por Dios te lo ruego*
*que con tus ojos me vayas a llorar.*

*Y después que terminó la cruel batalla*
*y la tropa regresó a su campamento,*
*por las bajas que causara la metralla*
*muy diezmado regresaba el regimiento.*

*Recordando aquel sargento sus quereres,*
*los soldados que volvían de la guerra*
*ofreciéndole su amor a las mujeres*
*entonaban este himno de la guerra:*

*Y si Adelita se fuera con otro*
*la seguiría por tierra y por mar,*
*si por mar en un buque de guerra,*
*si por tierra en un tren militar.*

## «LA CUCARACHA»

(D.A.R. / Canción mexicana)

*Pobrecito de Madero,*
*casi todos le han fallado,*
*Huerta el viejo bandolero*
*es un buey para el arado.*

*La cucaracha, la cucaracha*
*ya no puede caminar,*
*porque no tiene, porque le falta*
*marihuana que fumar.*

*El que persevera alcanza,*
*dice un dicho verdadero;*
*yo lo que quiero es venganza*
*por la muerte de Madero.*

*La cucaracha, la cucaracha*
*ya no puede caminar,*
*porque no tiene, porque le falta*
*marihuana que fumar.*

*Todos se pelean la silla*
*que les deja mucha plata.*
*En el norte viva Villa,*
*en el sur viva Zapata.*

*La cucaracha, la cucaracha*
*ya no puede caminar,*
*porque no tiene, porque le falta*
*marihuana que fumar.*

*Con las barbas de Carranza*
*voy a hacer una toquilla*
*pa ponérsela al sombrero*
*de su padre Pancho Villa.*

*La cucaracha, la cucaracha*
*ya no puede caminar,*
*porque no tiene, porque le falta*
*marihuana que fumar.*

*Qué bonita soldadera*
*cuando baila el fandango,*
*viva Pánfilo Natera*
*el orgullo de Durango.*

*La cucaracha, la cucaracha*
*ya no puede caminar,*
*porque no tiene, porque le falta*
*marihuana que fumar.*

*En la mina todo brilla*
*así son sus minerales,*
*ya murió Francisco Villa*
*general de generales.*

*La cucaracha, la cucaracha*
*ya no puede caminar,*
*porque no tiene, porque le falta*
*marihuana que fumar.*

## «PEREGRINA»

(Ricardo Palmerin / Canción yucateca)

*Peregrina*
*de ojos claros y divinos*
*y mejillas*
*encendidas de arrebol.*

*Mujercita*
*de los labios purpurinos*
*y radiante cabellera*
*como el sol.*

*Peregrina*
*que dejaste tus lugares*
*los abetos y la nieve*
*y la nieve virginal,*

*y veniste*
*a refugiarte a mis palmares*
*bajo el cielo de mi tierra,*
*de mi tierra tropical.*

*Las canoras,*
*avecillas de mis prados,*
*por cantarte*
*dan sus trinos si te ven*
*y las flores*
*de nectáreos perfumados*
*te acarician y te besan*
*en los labios y en la sien.*

*Cuando dejes*
*mis palmares y mi tierra*
*peregrina*
*del semblante encantador*
*no te olvides,*
*no te olvides de mi tierra,*
*no te olvides,*
*no te olvides de mi amor.*

### «SAN LUIS POTOSÍ»

(Pepe Guízar / Corrido y huapango)

*Yo soy de San Luis Potosí*
*y es mi barrio San Miguelito.*
*Del centro de México soy,*
*soy, por Dios, corazón todito.*

*Yo soy de San Luis Potosí*
*y el nopal dibujo enterito*

*donde el águila paró*
*y su estampa dibujó*
*en el lienzo tricolor.*

*Vecino de diez estados,*
*de Nuevo León y Querétaro*
*y Jalisco soberano.*
*Del alegre Aguascalientes,*
*del alegre Aguascalientes,*
*que es famosa en deshilado.*

*A su feria de San Marcos,*
*a su feria de San Marcos*
*voy contento año tras año.*

*Buen amigo es Guanajuato,*
*buen amigo es Guanajuato,*
*colonial y gran soldado.*
*Ay lararà, lararà,*
*ay lararà, lararà.*

*Vecino de Tamaulipas,*
*de Coahuila y Zacatecas,*
*como Hidalgo y Veracruz*
*San Luis tiene su huasteca.*

*Me gusta beber colonche,*
*me gusta beber colonche,*
*que es mejor, mejor que el ponche,*
*y peladitas las tunas,*
*y peladitas las tunas*
*saborearlas bien maduras.*

*Mi orgullo es Santa María,*
*mi orgullo es Santa María,*
*sus rebozos de bolita,*
*rebozos los más famosos*
*son los de Santa María.*
*Ay, lararà, lararà,*
*ay, lararà, lararà.*

*Milagro como el de Lourdes.*
*Son mis claros manantiales,*
*son mis claros manantiales*
*milagro como el de Lourdes.*

*Yo soy de San Luis Potosí*
*y el nopal dibujé enterito*
*donde el águila paró*
*y su estampa dibujó*
*en el lienzo tricolor.*

*Yo soy de San Luis Potosí.*

## «PALOMA QUERIDA»

(José Alfredo Jiménez / Ranchera)

*Por el día que llegaste a mi vida,*
*paloma querida, me puse a brindar,*
*y al sentirme un poquito tomado*
*pensando en tus labios*
*me dio por cantar.*

*Me sentí superior a cualquiera*
*y un puño de estrellas te quise bajar*
*y al mirar que ninguna alcanzaba*
*me dio tanta rabia, que quise llorar.*

*Yo no sé lo que valga mi vida,*
*pero yo te la vengo a entregar;*
*yo no sé si tu amor la reciba,*
*pero yo te la vengo a dejar.*

*Me encontraste en un negro camino*
*como un peregrino sin rumbo ni fe*
*y la luz de tus ojos divinos*
*cambiaron mis penas, por dicha y placer.*

*Desde entonces yo siento quererte*
*con todas las fuerzas que el alma me da;*
*desde entonces, paloma querida,*
*mi pecho he cambiado por un palomar.*

*Yo no sé lo que valga mi vida,*
*pero yo te la vengo a entregar;*
*yo no sé si tu amor la reciba,*
*pero yo te la vengo a dejar.*

## «ESOS ALTOS DE JALISCO»

(E. Cortázar - M. Esperón / Corrido)

*Esos altos de Jalisco*
*¡qué bonitos!*
*Qué rechula es esta tierra*
*donde yo mero nací.*

*Dónde tengo yo una novia*
*que en la pila del bautismo*
*al echarle agua bendita*
*la guardaron para mí.*

*Soy alteño de los buenos*
*por derecho*
*y cuando hablo de mi tierra*
*se me ensancha el corazón.*

*Y un orgullo que me llena*
*que no me cabe en el pecho*
*y por eso satisfecho*
*yo le canto a mi región.*

*¡Ay! los altos de Jalisco.*
*Es mi tierra, tierra linda,*
*puritito corazón.*
*Tierra linda, tierra de hombres*
*toda mi alma tierra mía*
*yo te doy en mi canción.*

*Las mujeres de mi tierra*
*¡qué mujeres!*
*Si por algo Dios dispuso*
*que nacieran por aquí*

*y les dio como permiso*
*ser bonitas como flores*
*pa'que de ellas escogiera*
*la más linda para mí.*

*A buscarla yo he venido*
*porque es mía*
*a entregarle toda mi alma*
*y a llorar por su crueldad,*

*a saber si ella me quiere*
*como me juró aquel día*
*y a decirle que es mi reina*
*que jamás podré olvidar.*

*¡Ay! los altos de Jalisco.*
*Es mi tierra, tierra linda*
*puritito corazón.*

*Tierra linda, tierra de hombres*
*toda mi alma tierra mía*
*yo te doy en mi canción.*

## «FLOR DE AZALEA»

(Welo Rivas / Bolero)

*Como espuma que inerte lleva*
*el caudaloso río*
*flor de azalea*
*la vida en su avalancha*
*te arrastró,*

*pero al salvarte*
*hallar pediste protección y abrigo*
*donde curar tu corazón herido*
*por el dolor.*

*Tu sonrisa refleja el paso*
*de las horas negras;*
*tu mirada, la más amarga*
*desesperación.*

*Hoy para siempre*
*quiero que olvides*
*tus pasadas penas*
*y que tan sólo tenga horas serenas*
*tu corazón.*

*Quisiera ser*
*la golondrina que al amanecer*
*a tu ventana llega para ver*
*a través del cristal*
*y despertarte muy dulcemente*
*si aún estás dormida*
*a la alborada de una nueva vida*
*llena de amor.*

## DISCOGRAFÍA DISPONIBLE DE JORGE NEGRETE
En formato CD

Los CD's que relacionamos a continuación están disponibles en el mercado norteamericano, y puede accederse a ellos también por Internet. La inmensa mayoría de ellos son recopilaciones de los grandes éxitos de Jorge Negrete. Existen también en la red infinidad de ofertas de discos antiguos, coleccionistas que buscan y encuentran, que ofrecen y cambian. Jorge Negrete, hoy, sigue vivo en sus discos, y prácticamente toda su obra está reeditada en CDs.

- 15 Éxitos Inmortales de Jorge Negrete (Editado en 05/1992)
- 20 Éxitos (Ed. 11-2001)
- 20 Éxitos en Vivo (Ed. 03/2000)
- 20 Grandes Éxitos (Ed. 03/2001)
- 22 Grandes Éxitos (Ed. 06/1991)
- 30 Éxitos de Oro (Ed. 04/2000)
- 30 Grandes Éxitos ( Ed. 05/2000)
- Antología (Ed. 01/2002)
- Ay, Jalisco, no te rajes (Ed. 11/2001)
- Colección Diamante (Ed. 02/2003)
- Colección Original (Ed. 06/1998)
- Colección RCA: 100 Años de Música (Ed. 11/2002)
- Corridos y Rancheras (Reed) (Ed. 06/1994)
- El Charro Inmortal: Sus grandes éxitos. Vol. 3 (Ed. 06/2000)
- El Charro Inmortal (Ed. 04/1998)
- El Charro Inmortal. Vol. 1 (Ed. 01/1995)
- El principio de una leyenda (Ed. 01/1995)
- En Vivo 1 (Ed. 03/2000)
- En Vivo 2 (Ed. 03/2000)
- Fiesta Mexicana (Ed. 04/1992)
- Grabaciones Originales. Vol. 1 (Ed. 04/2000)
- Grabaciones Originales. Vol. 2 (Ed. 04/2000)
- Jorge Negrete (Ed. 10/1997)
- Jorge Negrete. Vol. 2 (Ed. 10/1997)
- Las 15 consagradas (Ed. 03/2002)

- Las inmortales de Jorge Negrete (Ed. 04/1997)
- Jorge Negrete le canta al mundo (Ed. 04/1998)
- Lo mejor de lo mejor de Jorge Negrete (Ed. 02/1999)
- Lo mejor de lo mejor de RCA Victor (Ed. 06/2001)
- Lo mejor de Jorge Negrete (Ed. 07/1998)
- Lo mejor de Jorge Negrete (Ed. 05/1990)
- Los Inmortales: Jorge Negrete (Ed. 09/2001)
- Música de películas: Jorge Negrete (Ed. 04/1998)
- Para toda la vida (Ed. 01/2002)
- Recuerdos de Oro (Ed. 02/1995)
- Serie Platino: Jorge Negrete (Ed. 10/1996)
- Jorge Negrete: Sus cuarenta grandes canciones (Ed. 09/2002)
- Jorge Negrete: Sus mejores canciones (Ed. 07/1999)

## FUENTES CONSULTADAS

LIBROS:
*«Jorge Negrete»*, Carmen Barajas Sandoval.
*«Jorge Negrete»*, Diana Negrete.
*«Gloria y Jorge: cartas de amor y conflicto»*, Claudia de Icaza.
*«Jorge el bueno: la vida de Jorge Negrete»*, Enrique Serna.
WEB: *Jorge Negrete.* Cyber Club Mundial 2000.

# ÍNDICE

## Títulos publicados en esta colección

**Emiliano Zapata**
Juan Gallardo Muñoz

**Moctezuma**
Juan Gallardo Muñoz

**Pancho Villa**
Francisco Caudet

**Benito Juárez**
Francisco Caudet

**Mario Moreno "Cantinflas"**
Cristina Gómez
Inmaculada Sicilia

**J. María Morelos**
Alfonso Hurtado

**María Félix**
Helena R. Olmo

**Agustín Lara**
Luis Carlos Buraya

**Porfirio Díaz**
Raul Pérez López

**José Clemente Orozco**
Raul Pérez López

**Agustín de Iturbide**
Francisco Caudet

**Miguel Hidalgo**
Maite Hernández

**Diego Rivera**
Juan Gallardo Muñoz

**Dolores del Río**
Cinta Franco Dunn

**Francisco Madero**
Juan Gallardo Muñoz

**David A. Siqueiros**
Maite Hernández

**Lázaro Cárdenas**
Juan Gallardo Muñoz

**Emilio "Indio" Fernández**
Javier Cuesta

**San Juan Diego**
Juan Gallardo Muñoz

**Frida Kahlo**
Araceli Martínez

**Octavio Paz**
Juan Gallardo Muñoz

**Anthony Quinn**
Miguel Juan Payán
Silvia García Pérez

SALMA HAYEK
Vicente Fernández

SOR JUANA INÉS DE LA CRUZ
Juan M. Galaviz

JOSÉ VASCONCELOS
Juan Gallardo Muñoz

VICENTE GUERRERO
Jorge Armendariz

GUADALUPE VICTORIA
Francisco Caudet

JORGE NEGRETE
Luis Carlos Buraya

NEZAHUALCOYOTL
Tania Mena

IGNACIO ZARAGOZA
Alfonso Hurtado